Meubles et créations au jardin

Meubles et créations au jardin

Plus de 20 projets faciles pour embellir votre jardin

ALEX WARD ET NICK GIBBS

Sélection
Reader's Digest

Montréal

Meubles et créations au jardin est l'adaptation en langue française de *Garden Furniture & Outdoor Projects*, conçu et produit par Quarto Publishing
The Old Brewery
6 Blundell Street
London N7 9BH

Cet ouvrage a été réalisé sous la direction de l'équipe éditoriale de Sélection du Reader's Digest

Vice-présidence, Livres : Robert Goyette
Direction artistique : Andrée Payette
Rédaction : Agnès Saint-Laurent
Lecture-correction : Gilles Humbert

Traduit de l'anglais par Stéphanie Potier

Pour obtenir notre catalogue ou des renseignements sur d'autres produits de Sélection du Reader's Digest (24 heures sur 24), composez le 1 800 465-0780.
Vous pouvez également nous rendre visite sur notre site Web : www.selection.ca

ISBN 0-88850-792-5

AVERTISSEMENTS À NOS LECTEURS
Toutes les activités de bricolage comportent un certain risque. L'habileté des bricoleurs, les conditions dans lesquelles ils travaillent et les outils et matériaux utilisés varient beaucoup. La rédaction s'est efforcée d'être le plus précise possible, mais le lecteur reste seul responsable du choix des outils, des matériaux et des techniques. Respectez la réglementation en vigueur dans votre région ; suivez bien les instructions des fabricants ; observez les précautions d'usage pour assurer votre sécurité.

Imprimé en Chine par SNP Leefung Printers Limited

06 07 08 09 10 / 5 4 3 2 1

Table des matières

Introduction

Le jardinage est un passe-temps qui permet de construire un espace à son image. La création de meubles et autres agencements, en plus d'être pratique, réussit à étendre le décor de la maison au jardin et à la terrasse.

▲ Cette jolie girouette sur le thème de la mer conviendra à la plupart des jardins.

◀ Un tuteur ou un treillis est une structure idéale pour faire pousser les plantes grimpantes.

Vingt réalisations pratiques forment le cœur de ce livre. Grâce à des constructions simples, avec des matériaux aisément disponibles, même un menuisier amateur, qui possède seulement quelques outils, mènera à bien son projet en consultant la fiche technique associée à chaque réalisation. D'autres pages proposent des idées d'accessoires pour améliorer le jardin.

Pour commencer, vous aurez besoin de peu d'outils, même si nous avons aussi envisagé ces projets pour que vous puissiez vous familiariser avec des équipements plus spécialisés. Si vous avez un peu d'expérience en menuiserie, vous verrez tout le potentiel de construction que peuvent apporter les autres matériaux et équipements.

Nous avons débuté par une introduction sur l'outillage, les techniques et les matériaux dont vous aurez besoin. Nous mettons en lumière des solutions aux problèmes courants et vous donnons quelques conseils et suggestions. Dans la rubrique « Idées et projets », les produits mentionnés vous inspireront peut-être pour construire vos propres meubles. Si vous n'avez pas le temps de les construire dès à présent, ils vous donneront de bonnes idées pour déterminer ce que vous recherchez. Nous incluons également des informations pour vous aider à profiter au mieux de votre terrasse. « Les jardinières et pots », page 30,

◀ *L'intelligence du design de ce banc réside dans le fait que vous pouvez le bouger – à l'ombre ou au soleil – dans tout le jardin au gré de votre humeur du moment.*

▲ *Résistante, en même temps qu'élégante, cette chaise s'intègre bien dans n'importe quel jardin.*

vous indiquent comment réaliser un bac classique, intégré à un banc ou une jardinière avec ou sans fontaine. Les encadrés détaillent les caractéristiques des plantes pour les bacs à fleurs ou des matériaux que vous pouvez utiliser pour les jardinières.

De nos jours, la plupart des gens utilisent leur jardin comme une extension de leur maison, c'est pourquoi la plus grande partie de ce livre est dédiée aux « Chaises et tables », page 52. Les réalisations de ce chapitre présentent par exemple une table en mosaïque et un banc en

forme de brouette. Si vous ne vous servez pas encore de votre jardin comme d'une série de salons de plein air, allez au chapitre « Séparations et et arches », page 100, pour vous inspirer. Créez des panneaux de treillis et des tonnelles pour délimiter les endroits privés ou encore des tuteurs sur lesquels pousseront les plantes grimpantes.

Un jardin n'est pas un jardin s'il n'y a pas d'oiseaux. Que vous viviez dans une grande ville ou dans un village rural, « Les abris pour la faune », page 126, fourniront une mine d'informations pour vous aider à

attirer les oiseaux dans votre jardin et à les protéger des prédateurs.

Enfin, dans la partie « Loisirs », page 144, vous pourrez fabriquer des structures astucieuses, un fort pour les enfants et aussi une balancelle ou un support de hamac. La girouette plaira aux visiteurs de sept à soixante-dix-sept ans.

Même si un projet paraît irréalisable au premier abord, ne vous laissez pas intimider. Les instructions et le guide procuré pour chaque réalisation vous aideront à créer quelque chose dont vous pourrez apprécier l'originalité pendant les années suivantes.

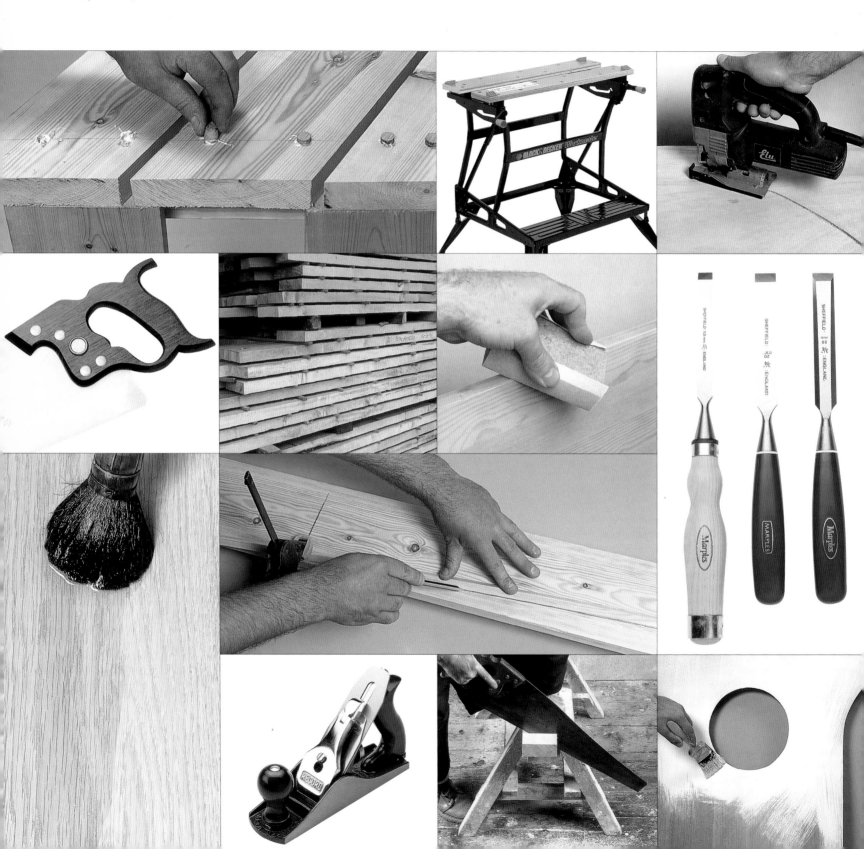

OUTILS, TECHNIQUES ET FINITIONS

Toutes les réalisations de ce livre requièrent quelques connaissances de base en menuiserie, ainsi que des outils assez simples pour couper, percer et assembler les pièces. En fait, vous possédez sûrement la plupart des outils présentés ici et vous connaissez déjà les techniques de base.

Au départ, vous n'aurez besoin que de quelques outils. Si vous débutez, certains projets vous conduiront à utiliser un équipement plus spécialisé. Si vous avez plus d'expérience en menuiserie, vous verrez toutes les possibilités d'adaptation et de modifications de nos modèles en utilisant des matériaux différents.

Nous avons commencé par une introduction sur les outils, les techniques et les matériaux dont vous aurez besoin et nous avons décrit la marche à suivre. Nous avons mis en lumière les solutions aux problèmes courants et nous vous donnons des conseils et des suggestions pour vous aider à réaliser, en toute confiance, de nombreux meubles.

Les outils

Les réalisations sont en contre-plaqué de bois tendre pour que la construction soit aussi simple que possible. Tous ces types de bois sont de format standard. Vous n'utiliserez qu'une petite boîte à outils pour couper, percer et assembler les pièces des différents projets. Nous décrivons ci-dessous les outils les plus couramment utilisés.

Quiconque voulant se lancer dans la menuiserie un peu sérieusement disposera d'un excellent jeu d'outils de base : les outils électriques en particulier font gagner beaucoup de temps et simplifient un grand nombre d'étapes. À la suite de chaque description, nous indiquons quand cela est possible, l'outil complémentaire que vous pourrez acquérir pour la suite de vos travaux.

1. Une scie multi-usages
Choisissez une scie de dimension moyenne – environ trois dents au centimètre pour une meilleure finition.

Achat conseillé : **une scie à tenon ou scie à dos (1.1)** Les scies à tenon ont en général des dents plus fines que les scies égoïnes et leur dos renforcé accroît la précision de la coupe.

2. Une scie à chantourner
manuelle Elle est utilisée pour les découpes complexes, comme les petites courbes ou les figures décoratives. Ses fines lames pourront avoir plus de dix dents au centimètre.

3. Une scie sauteuse
De même qu'il est indispensable d'acquérir une bonne perceuse sans fil, vous ne lésinerez pas sur la scie sauteuse – elle sera en effet un compagnon fidèle.

Les scies sauteuses de qualité sont plus maniables que les modèles économiques. Elles sont idéales pour découper du contre-plaqué lamellé car elles limitent l'éclatement du bois lors d'une découpe en travers de la fibre. Si vous envisagez de faire beaucoup de courbes, achetez une scie à chantourner électrique. Sa fonction pivotante facilite les découpes. Portez toujours des lunettes et un casque anti-bruit quand vous vous servez d'une scie sauteuse et portez un masque contre la poussière.

Achat conseillé : **une scie circulaire (3.1) ou une scie à ruban (3.2)** Si vous pensez couper un grand nombre de panneaux, achetez une scie circulaire (portative). Utilisée contre un guide de chant, elle améliore la précision et la rapidité. Mais si vous décidez de réaliser vos meubles en bois dur, alors une petite scie à ruban,

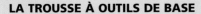

outil très polyvalent pour couper toutes sortes de formes, est l'outil indispensable.

4. Une scie à onglet Même s'il est possible de couper n'importe quel angle – soit à vue avec une scie égoïne soit en utilisant un guide de sciage d'onglet – le choix le plus judicieux est d'acheter une scie à onglet. Elles sont peu chères et rapidement amorties. Elles donnent une meilleure finition et assurent une bonne précision pour les assemblages à onglet – qui sont bien plus difficiles à réaliser que vous ne l'imaginez !

Achat conseillé : **une scie pendulaire sur table ou une scie radiale (4.1)** Chacune de ces machines occasionne un investissement substantiel, mais aussi ouvre d'autres horizons. Comme alternative, vous pourrez acheter une scie à ruban pour couper les planches grossièrement et une ponceuse à disque pour ajuster la précision des onglets.

5. Un établi portatif
Être capable de maintenir le bois solidement, lorsque vous le coupez, le percez et l'assemblez, peut faire la différence. Vous n'avez pas besoin du modèle le plus cher car certains modèles plus légers, avec des pieds en croix, sont aussi efficaces. Ils n'auront peut-être pas une surface de travail aussi grande, mais ils seront plus faciles à manœuvrer et à ranger.

Achat conseillé : **des tréteaux bon marché** Ceux-ci vous procureront une bonne surface de travail pour couper du contre-plaqué et de plus ils se plient après usage et sont suspendus au mur.

6. Une perceuse sans fil
Vous aurez souvent besoin d'une perceuse, à la fois pour percer et pour visser. Recherchez une perceuse bien équilibrée – les meilleures perceuses ont en général une poignée centrale. Vous aurez aussi besoin de quelques embouts. Prenez un set de mèches à embouts hexagonaux de différentes tailles. Et pour vous faciliter la vie, achetez un porte-embout magnétique pour tenir la mèche en place. Vous apprendrez rapidement qu'une perceuse est un ami fidèle dans le garage et autour de la maison.

Achat conseillé : **une perceuse à colonne**
Pour des perçages répétitifs précis, vous ne trouverez pas mieux qu'une perceuse à colonne, qui maintient la pièce stable pendant que vous abaissez la mèche.
Achetez un modèle bon marché avec un petit moteur.

7. Mèches à bois (7), fraises (7.1), et forets à trois pointes (7.2) De nombreuses perceuses sont vendues avec quelques mèches. Vous pourrez acheter en plus un jeu de 10 mèches allant de 2 à 10 mm (1/16 po à 3/8 po). Vous aurez besoin de fraises et de quelques forets à trois pointes de 10 et 19 mm (3/8 po et 3/4 po). Le plus petit foret à trois pointes peut également faire emploi de fraise.

Achat conseillé : **plus de mèches de perçage (7.3)**
Les mèches qui comprennent à la fois les chanfreins ou les fraisoirs sont particulièrement utiles. Vous aurez peut-être envie d'acheter une mèche à bouchon pour cacher les têtes des vis, mais pour cela vous aurez besoin d'une perceuse à colonne.

LA TROUSSE À OUTILS DE BASE
Pour chaque création, nous détaillerons la liste des outils et des matières premières nécessaires. Quand nous nous référons à la trousse à outils de base, nous pensons aux 14 outils principaux décrits ici. Tous les outils supplémentaires sont décrits séparément.

8. Une équerre à combinaison

Cet outil allie un réglet, une équerre et souvent un niveau à bulle. Il possède aussi deux réglages à 90 degrés et 45 degrés. Il est préférable d'acquérir un modèle de qualité car les modèles bon marché sont rarement précis.

Contrôlez la précision : Avant d'utiliser l'équerre à combinaison, vérifiez sa précision en traçant une ligne à 90 degrés sur une planche. Puis retournez l'équerre et faites la même opération avec la planche pointant dans la direction opposée. Faites un trait, très proche du premier. Si les lignes sont parallèles, l'équerre est bonne. Si ce n'est pas le cas, l'équerre a besoin d'être ajustée.

Achat conseillé: **une fausse équerre (8.1)** Une fois que vous aurez commencé les travaux sérieux, vous aurez besoin d'une équerre plus précise, en particulier pour marquer des assemblages compliqués. Un rapporteur d'angle vous permettra de trouver et de marquer chaque angle et par exemple de déterminer la pente d'un toit.

9. Un mètre à ruban

Un mètre « rétractable » est essentiel pour un menuisier. Achetez un mètre de bonne qualité – les mètres bon marché ont de mauvais systèmes de rentrée et de blocage.

Achat conseillé : **un autre mètre**, lorsque vous aurez égaré le premier !

10. Un marteau et un chasse-clou

Les meubles de jardin demandent un bon nombre de clous même si vous leur préférez parfois les vis. Les vis sont plus chères que les clous mais elles sont plus solides et faciles d'utilisation. Si vous choisissez les clous, vous aurez besoin d'un chasse-clou pour enfoncer les têtes sous la surface du bois.

11. Un rabot à recaler

Rien ne vaut un rabot à recaler pour biseauter les bouts de pied et chanfreiner ou arrondir les angles. Choisissez un modèle réglable au tournevis, cela simplifiera le réglage. Les rabots à recaler sont très légers et le faible angle de la lame est parfait pour les bois les plus durs.

Achat conseillé : **un rabot d'atelier (11.1)** Pour un rabotage conséquent vous aurez besoin d'un outil plus lourd et plus long qu'un rabot à recaler. N'achetez pas de rabot électrique à moins que vous ayez besoin de raboter de nombreuses vieilles planches qui pourraient abîmer le fer de votre rabot ou encore que vous comptiez faire des rénovations chez vous et que vous ayez besoin d'ajuster des pièces.

12. Du papier de verre et une cale

Une bonne sélection de papier de verre à grains gros, moyen et fin, ainsi qu'une cale à poncer sont essentiels dans les trousses de bricolage. Les cales de liège, ergonomiques, tiennent bien dans la main et sont plus confortables que les cales de bois. Certaines ont des fixations pour maintenir le papier de verre.

Achat conseillé : **une ponceuse roto orbitale (12.1)** Cette ponceuse électrique portative combine le mouvement rotatif du disque de papier de verre avec un mouvement orbital. Elle ponce rapidement, sans marques, ce qui la rend idéale pour les finitions.

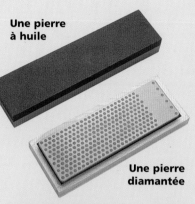

12.1

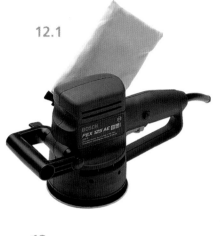

13. Ciseaux à bois Au cours des réalisations, vous utiliserez un ciseau à bois pour nettoyer les coins, au moment des coupes à la scie. Pour commencer, vous n'aurez besoin que d'un ciseau, d'une largeur de 15 mm (⅝ po), mais il sera plus économique d'acheter un jeu.

14. Les serre-joints
Les serre-joints agissent comme deux mains supplémentaires et sont très utiles au moment des assemblages. Commencez avec deux presses en « C » de 150 mm (6 po).

Achat conseillé : **Plus de serre-joints** Aucun menuisier ne s'est jamais plaint d'avoir trop de serre-joints ! Le mieux est d'acheter des serre-joints rapides ou que vous pourrez utiliser d'une seule main.

13

14

LES OUTILS D'AFFÛTAGE

Il n'y a pas de meilleure école pour connaître vos outils que de les aiguiser, aussitôt sortis de leur emballage. Vous aurez peut-être la tentation, comme beaucoup, de raboter et de ciseler tout de suite et de continuer à les utiliser tant qu'ils coupent. Cependant, à ce moment-là, vous aurez peut-être oublié la forme du tranchant. Donc achetez une pierre d'affûtage mixte, à grain fin et à grain moyen ainsi qu'un guide d'affûtage pour vous aider à conserver la lame du rabot ou du ciseau dans l'angle recherché. Notez qu'il y a une différence d'environ cinq degrés entre l'angle du biseau principal et celui du petit biseau situé de chaque côté du ciseau. Cela signifie que vous n'avez pas besoin d'aiguiser toute la surface de la lame à chaque affûtage. Cependant, souvenez-vous de polir l'arrière de la lame aussi bien que le biseau. Vous deviendrez rapidement un expert et l'affûtage de vos outils ne sera plus du tout une corvée.

RANGER LES OUTILS

Achetez une simple boîte à outils pour bien conserver vos outils. Une boîte à outils est particulièrement précieuse si vous n'avez pas encore de lieu attitré pour le bricolage et que vos outils ont tendance à s'éparpiller dans la maison. Une trousse à outils permet de ranger les ciseaux et les tournevis, c'est donc aussi un bon investissement.

Une pierre à huile

Une pierre diamantée

Un guide d'affûtage

Tenez votre ciseau suivant une bonne inclinaison.

Les techniques clés

Vous n'avez pas besoin de connaissances particulières en menuiserie pour réaliser ces projets. En fait quiconque, muni de quelques outils, est capable de les réaliser assez rapidement. Une étape importante du travail de menuiserie consiste à assembler les pièces que vous aurez sciées, mais plus d'un se détourne de cette activité gratifiante à la perspective de couper des jointures difficiles. C'est pourquoi nous avons fait notre possible pour utiliser des jointures faciles – la plupart des constructions ne demandent que de la colle, des clous ou des vis.

LE SCIAGE EN TRAVERS DU FIL

Pour ces réalisations, vous aurez besoin de couper plusieurs planches en morceaux. On appelle ceci le sciage en travers du fil ou tronçonnage. Vous pourrez le faire avec une scie égoïne, une scie à tenon ou une scie circulaire. Vous poserez le bois sur un chevalet ou un établi pour le couper.

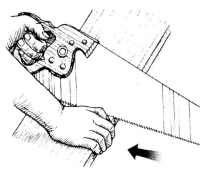

1 Amorcez la découpe sur l'arête de la pièce et maintenez-la avec votre genou. C'est plus rapide que d'utiliser un serre-joint pour maintenir le bois en place. En vous servant de votre pouce pour guider la scie et en sciant toujours du côté que vous n'allez pas garder, faites des petites entailles en tirant la scie vers vous. N'appuyez pas lorsque vous faites ces premières entailles – vous les utiliserez pour faciliter la découpe.

2 À mesure que vous progressez, levez la poignée de la scie et utilisez toute la longueur de la scie pour couper. Tendez votre index sur la poignée pour garder votre bras bien droit. Au début, vous ne couperez pas verticalement, mais vous trouverez rapidement la bonne position.

3 Quand vous avez bien progressé, relâchez la pression sur la scie de façon à ce que les dents coupent le dessus de la planche. Comme toujours, travaillez sur l'extérieur du trait de coupe – sur la chute.

UTILISER UN GABARIT

Une fois que vous aurez tronçonné une planche, utilisez-la comme gabarit pour les autres. Si vous utilisez plus d'un gabarit, les morceaux risquent de devenir de plus en plus longs (ou de plus en plus courts).

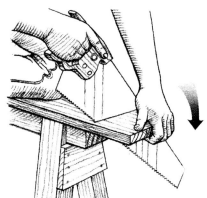

4 Quand vous avez presque fini la découpe, la chute de bois commence à tomber. À ce stade, la chute risque d'entraîner le dernier morceau de bois avant que vous ne puissiez le couper. Tenez la chute de bois jusqu'au bout avec la main qui ne tient pas la scie et donnez des petits coups de scie jusqu'à ce que le morceau se détache.

COUPER UNE COURBE

C'est avec une scie sauteuse que l'on fait une courbe le plus simplement. Sans expérience, il est très difficile de faire une courbe précise avec une scie manuelle. Fixez une languette de bois souple, sans serrer, le long de la pièce à couper, arquez la languette dans la forme désirée et tracez la courbe.

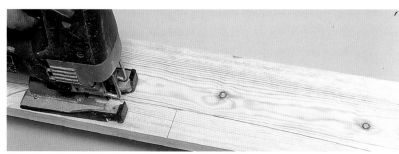

1 Fixez la pièce de bois sur un chevalet ou un établi et découpez la courbe, en restant du côté de la partie perdue de la planche. Gardez votre genou sur la partie perdue, pour éviter que la planche ne bouge.

2 Pour couper un cercle, percez tout d'abord un trou dans la partie perdue, assez large pour que la lame de la scie puisse s'insérer. Coupez soigneusement sur le trait à l'intérieur du cercle. Finissez de couper en faisant très attention.

LA REFENTE

Scier dans le sens des fibres est connu sous le nom de refente. C'est beaucoup plus difficile à faire que couper en travers car les fibres du bois ont tendance à encrasser la lame pendant la coupe. On peut le faire en utilisant une scie égoïne, mais il est préférable d'utiliser une scie circulaire ou une scie circulaire de table. Gardez la scie droite en serrant la planche à couper avec une pièce de bois utilisée comme guide, ou en utilisant le rail de guidage de la scie.

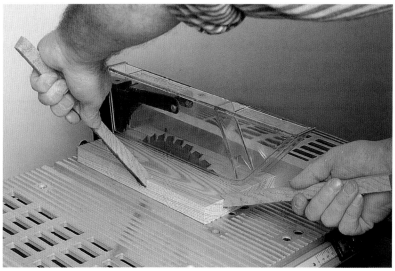

Pour refendre avec une scie circulaire de table, ajustez le guide de refente et fixez la pièce avant de brancher le courant. Réglez la profondeur de coupe à quelques millimètres de plus que l'épaisseur de la planche.

Le protège-lame est là pour éviter que le bois ne se rapproche trop près de la lame et ne bloque le trait de scie au moment où le bois passe. Utilisez des baguettes pour pousser le bois le long du guide et au-delà de la lame.

RAINURER

De même que pour la refente et le tronçonnage, la scie de table peut être utilisée pour faire les rainures en utilisant le guide. Les rainures peuvent être élargies en décalant le guide entre chaque passage. C'est très utile pour la découpe des tenons. Les rainures ou les coupes rabotées peuvent être également obtenues en utilisant la boîte à onglet.

DÉGAUCHIR UNE PLANCHE

Vous aurez peut-être besoin de poncer une pièce. Soit parce que les dimensions ne seront pas bonnes, que les panneaux seront bombés ou que les côtés ne seront pas à angle droit. Poncez avec le rabot d'atelier. Cet outil est plus long qu'un rabot à recaler, ce qui donne plus de puissance et permet d'aplanir les creux et les bosses.

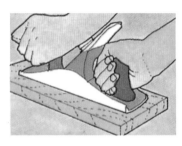

1 Choisissez le meilleur côté de la planche et fixez-le contre une butée ou une patte de l'établi. Si les pattes sont trop hautes et risquent d'interférer avec le ponçage, posez une fine pièce de bois sur la surface de travail et poncez contre celle-ci. Ne serrez pas la pièce entre les dents d'un étau si elle excède 50 mm (2 po) car la pression peut tordre la surface du bois et la déformer après que vous l'avez poncée.

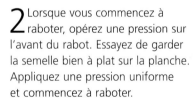

2 Lorsque vous commencez à raboter, opérez une pression sur l'avant du rabot. Essayez de garder la semelle bien à plat sur la planche. Appliquez une pression uniforme et commencez à raboter.

3 Lorsque vous rabotez la pièce, opérez une pression sur l'arrière du rabot – cela évite que la lame ne dérape à la fin de la coupe. Ne levez pas le rabot avant que la lame ne soit passée après le bois. Soulevez toujours le rabot entre les coupes plutôt que de passer la semelle d'avant en arrière sur le bois, ce qui est la chose la plus tentante.

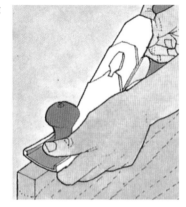

4 Pour raboter un chant, maintenez la planche dans un étau. Prenez soin que le milieu du rabot soit au milieu du chant. Commencez avec la lame ne dépassant qu'un tout petit peu, coupant un petit copeau pour déterminer le sens du bois. Si la coupe est trop épaisse, vous casserez peut-être les fibres en coupant à contresens du bois.

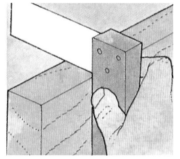

5 Une fois que vous serez content de la coupe, vous pourrez ajuster la lame pour raboter plus de bois puis la régler très finement pour le dernier passage de finition. Assurez-vous que la face et le côté sont bien perpendiculaires sur toute la longueur. Vous pourrez utiliser une équerre pour vérifier qu'il n'y a pas d'espace.

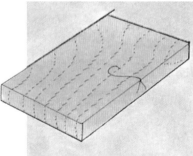

6 Faites un « V » sur le plus beau côté avec un crayon gras et un symbole en forme de S sur la plus belle face, qui rejoint le « V ». Cette façon de marquer sera un bon repère pour la suite de votre travail.

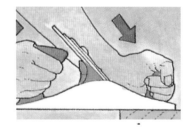

7 Pour réduire l'épaisseur d'une planche, utilisez un trusquin pour définir la largeur et tracez une ligne. Faites la même chose de l'autre côté. Ensuite sciez et rabotez, ou si l'ajustement est peu important, rabotez seulement la planche à la bonne largeur.

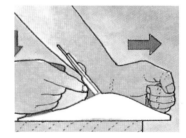
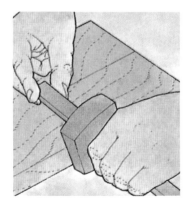

Régler un rabot

La meilleure façon de vous habituer au rabot est de le démonter entièrement, pour ensuite comprendre les interactions des différentes pièces entre elles. Vous vous sentirez alors plus à l'aise si vous avez besoin de le régler. Pour de meilleurs résultats, le rabot sera ajusté à chaque fois.

1 Assurez-vous que les lames de votre rabot sont bien parallèles à l'ouverture en regardant sous la semelle du rabot par le talon.

2 Regardez à l'avant du rabot pour régler la saillie du fer et vérifier s'il a besoin d'un ajustage latéral.

Tracer une coupe

Pour couper en travers du fil d'une manière précise, utilisez une équerre ou une fausse équerre sur les quatre faces de la pièce.

1 Pressez le manche de l'équerre fermement contre le meilleur côté de la planche, puis tracez une ligne avec le cutter sur la meilleure face de la planche.

2 Répétez l'opération sur toutes les faces de la planche. Hachurez la partie de chute ou marquez-la avec des « X » de façon à reconnaître la partie de la planche à jeter.

Clouer

Les clous ne sont pas le moyen le plus solide d'assembler des pièces de bois. Vous devrez renforcer la jointure avec de la colle, en utilisant un serre-joint et en la laissant reposer, en général pendant une nuit. Les clous sont très utiles pour des pièces fines peu résistantes et souvent trop petites pour des vis. Les clous peuvent aussi facilement fendre le bois, mais on peut l'éviter en écrasant la pointe du clou avec un marteau. Une autre solution est d'utiliser un avant-trou, plus fin que le clou.

1 Pour clouer dans une pièce de bois précieux, tapez doucement jusqu'à ce que vous sentiez que le clou pénètre le bois.

2 Faites disparaître les têtes de clous avec un chasse-clou pour une finition professionnelle.

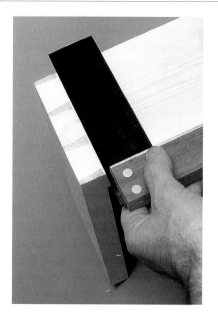

CLOUER EN OBLIQUE

Vous pourrez faire des jointures clouées plus résistantes en clouant légèrement en oblique. Cela améliore la tenue car le clou couvre une surface plus importante de bois.

3 Il arrivera qu'un clou ne se plante pas bien droit, il faudra le retirer. Placez un morceau de chute sur la planche, entre le bois et la panne de votre marteau. Cela protège à la fois le bois et vous donne un effet de levier pour retirer le clou.

PONCER

Lorsque vous poncez des planches à la main, enrobez le papier de verre sur la cale à poncer en bois ou en liège. Cela le maintient bien à plat et réduit le risque de faire des marques.

1 Poncez par étapes, en commençant avec du papier à gros grain (80 à 100 grains), puis passez à 120 grains pour finir par du papier à 180 grains. Augmenter le calibre du papier de verre au fur et à mesure du ponçage vous permettra de retirer les éraflures de la surface du bois – plus le calibre est important, plus la finition est douce. Poncez toujours dans le sens du bois pour éviter les rayures.

2 Les menuisiers conseillent parfois d'ôter l'arête du bord lorsque le morceau est presque entièrement poncé. C'est ce que l'on appelle chanfreiner les arêtes. Vous pourrez le faire en passant dessus, une ou deux fois avec un papier très fin (220 grains) et une cale. Vous donnerez une finition plus professionnelle à votre réalisation et vous aurez moins de risques que le bois ne s'éclisse. Votre peinture résistera mieux au temps, appliquée sur des bords arrondis.

ASTUCES DE PONÇAGE
Les éraflures sont souvent occasionnées en ponçant des particules résiduelles. Dépoussiérer entre les couches de finition lorsque vous utilisez du papier de verre très fin permettra de retirer toutes les petites aspérités et donnera un résultat très lisse. Après avoir dépoussiéré, enlevez les particules restantes avec un chiffon humide.

Si vous voulez arrondir un peu plus les angles, vous pourrez utiliser un outil d'angle, disponible dans les magasins d'outillage.

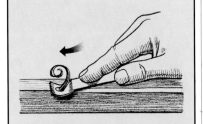

PERCER

Retenez qu'il faut toujours garder la perceuse perpendiculaire à la surface que vous allez percer. Vous aurez décidé d'un angle pour certains assemblages mais pas dans la majorité des cas. Un trou bien droit permet de faire un assemblage plus solide. Certaines réalisations se font avec des fraises et des mèches à bois. Ces pièces sont plus agressives que les pièces ordinaires, c'est pourquoi il est plus sûr de maintenir la planche à l'aide d'un étau ou d'un établi.

1 Utilisez la clé pour les trois trous de la perceuse lorsque vous utilisez des mèches plus grosses car cela permet de bien les serrer. Une fixation solide est importante car ces mèches se desserrent plus facilement que les petites. Faites une croix où vous voulez faire un trou et percez à l'intersection des lignes. Si vous percez un bois très dur, faites un avant-trou avec une très petite mèche. Augmentez la taille de la mèche et la taille du trou en perçant une deuxième fois. Cette technique est importante car elle vous permettra de percer avec précision.

2 Percez en gardant votre corps au-dessus du trou de perçage, ainsi il restera vertical et centré. Nettoyez les copeaux de temps en temps en sortant votre perceuse du trou. Sinon la mèche pourrait surchauffer, brûler le bois et perdre de son tranchant. Pour des perçages répétitifs, utilisez une perceuse à colonne, cela vous permettra de maintenir le bois avec une main ou contre un rebord et d'aller plus vite.

3 Pour éviter qu'une mèche à bois ne déchire une planche lorsqu'elle sort du trou, arrêtez de percer au moment où la mèche perce de l'autre côté. Retournez la planche et commencez à percer. Cette technique réduit aussi les fissures.

POUR MIEUX ENFONCER LES VIS

La meilleure façon de fraiser les vis sous la surface est d'utiliser une fraise ou encore un embout qui perce et fraise à la fois. Ces embouts percent un avant-trou et fraisent simultanément. Ils sont proposés en différentes tailles ; choisissez-en un qui soit adapté à la taille des vis utilisées. Pour masquer les vis, vous pouvez aussi percer en deux étapes avec deux embouts appropriés. Commencez en perçant à travers la planche pour faire un trou de la bonne taille pour la vis, puis percez avec un embout un peu plus large que la taille des bouchons des vis. Cette fois, ne percez que pour la longueur des bouchons, c'est-à-dire environ un tiers de l'épaisseur de la planche – et pour les réalisations de ce livre d'environ 10 mm (⅜ po) de profondeur.

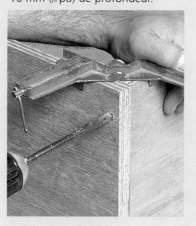

BOUCHER LES TROUS

Pour masquer une tête de vis, utilisez un embout qui perce et fraise en même temps, comme cela est décrit plus haut. Vous chercherez dans un magasin de bricolage les bouchons adaptés pour masquer les trous des vis ; ils sont proposés en différentes tailles et couleurs. Si c'est nécessaire, vous pouvez aussi les réaliser vous-même avec une scie à araser.

LES DÉCOUPES DE PANNEAUX MANUFACTURÉS

Les panneaux manufacturés, comme le contre-plaqué ou les panneaux de particules, sont de grande taille et difficiles à manœuvrer. Fort heureusement, la plupart des magasins et scieries vous feront quelques coupes gratuitement, ce qui facilitera leur transport. Vous pourrez également payer le fournisseur pour qu'il effectue toutes les découpes. Si vous coupez les panneaux chez vous, placez-les sur des chevalets très lourds, disposés dans l'allée ou le jardin. Faites les premières découpes avec la scie égoïne ou la scie circulaire, sur les chevalets, car cela peut être difficile. Faites attention à ne pas découper les supports ! Dès que vous aurez des pièces de bois utilisables, déplacez-les sur l'établi, où vous pourrez les fixer pendant que vous couperez.

1 Pour dégrossir un morceau de contre-plaqué ou pour en découper une petite bande, utilisez le guide de la scie. Le guide vous permettra de faire des coupes parallèles.

2 Pour couper une grande pièce de bois en petits morceaux, fixez un serre-joint et un gabarit à angle droit à la pièce de contre-plaqué, pour l'utiliser comme guide et couper droit. Souvenez-vous de calculer l'épaisseur de la lame de la scie ou du trait de scie quand vous placerez le guide ; de même que vous calculerez la distance entre la lame et le bord de la scie sur table.

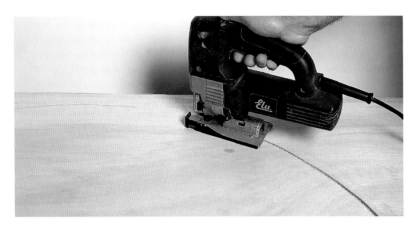

3 Lorsque vous coupez du contre-plaqué, vous risquez de déchirer la face du dessous. Mais vous pourrez supprimer ce risque en utilisant une lame adaptée au contre-plaqué.

4 Pour réaliser des coupes intérieures dans du contre-plaqué ou de l'aggloméré, vous percerez des trous auparavant pour prendre appui avec la scie, là où vous souhaitez couper. Percez des trous à chaque coin de la pièce à couper et rejoignez les trous. Après cela vous pourrez couper en ligne droite ou en courbe avec la scie. Après la découpe, passez au papier de verre toutes les parties rugueuses.

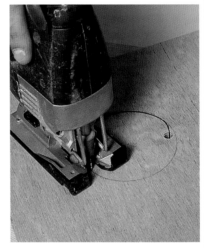

LES COUPES D'ONGLET

Les assemblages à onglet ont l'air simples à réaliser – des planches coupées à 45 degrés qui sont assemblées pour former un angle de 90 degrés. Même si, dans le principe, ils sont faciles à couper, les novices, en général, les trouvent difficiles. Les joints sont très visibles, ce qui interdit la moindre erreur. Coupez et vérifiez que les joints s'emboîtent correctement au fur et à mesure.

1 Tracez la découpe à l'angle approprié. En fonction du nombre de côtés de votre assemblage, celui-ci sera de 45 ou de 60 degrés. Pour quatre côtés, les planches seront coupées à 45 degrés, pour six côtés, l'angle sera de 60 degrés.

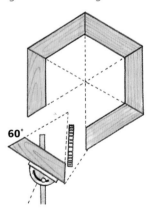

ROGNER AVEC UN CISEAU À BOIS

De temps en temps, vous aurez besoin de nettoyer la surface de l'assemblage ou de retirer les copeaux. Les ciseaux sont utiles pour ces opérations. Un ciseau chanfreiné de 18 mm (¾ po) est l'outil polyvalent idéal pour ce travail car il vous donne de la puissance et un bon contrôle de la situation.

Les lames du ciseau ont deux faces : l'une est plate et l'autre est biseautée. Utilisez la surface plate pour rogner en profondeur assez rapidement ; faites bien attention de ne pas retirer trop de bois. La face biseautée retire moins de bois à la fois, c'est donc un peu plus lent. Cependant c'est l'approche la plus prudente si vous n'êtes pas habitué. Pour rogner avec un ciseau, tenez l'outil près du manche pour une meilleure prise et poussez avec l'autre main. Faites des petites rognures pour commencer.

2 Utilisez une fausse équerre pour transférer l'angle sur le bois et aussi pour vérifier l'angle de la scie à onglet ou le guide de la machine.

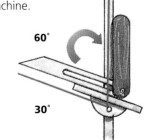

3 Les boîtes à onglet ont des fentes prédécoupées à 45 degrés et 90 degrés. Lorsque vous introduisez votre scie dans l'une de ces fentes, cela guide la découpe. Même si la plupart des boîtes à onglet ne sont pourvues que de deux angles de découpe, vous pouvez faire vos propres angles sur la boîte en bois. Si vous utilisez une boîte en métal, vous pourrez réduire les déchirures du bois du dessous en fixant une pièce de chute sous la boîte.

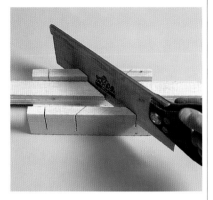

4 La beauté d'un assemblage à onglet est que le fil du bois se prolonge tout le long de l'assemblage et harmonise le modèle.

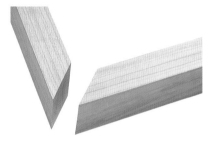

Coller les joints à onglet

Facilitez votre travail en utilisant des serre-joints d'angle. Vous pourrez trouver ces serre-joints dans n'importe quel magasin de bricolage. Une alternative, si vous avez suffisamment de serre-joints, est de coller provisoirement des oreillettes aux joints à onglet et d'utiliser les serre-joints pour les assembler.

UTILISER DE LA COLLE

Faites en sorte de répartir la colle uniformément et d'utiliser la quantité nécessaire. Idéalement vous devriez voir des petites gouttes dépasser du joint. Si vous ne voyez pas de colle, cela veut peut-être dire que vous n'en avez pas mis assez. Si vous en mettez trop, l'assemblage prendra beaucoup de temps à sécher. Utilisez un chiffon humide pour ôter la colle superflue.

TRAVAUX DE FINITION

Les travaux de finition sont très importants pour les assemblages à onglet. Si le bois de bout est visible une fois le joint assemblé, poncez les extrémités des lattes jusqu'à ce que la surface soit lisse et dure. Vous pouvez chanfreiner les extrémités. Dans ce cas, faites le chanfrein de la même manière sur toutes les lattes. Le rabot à main est idéal car la lame est inclinée à un très faible angle. Cela vous aidera à ébarber les panneaux difficiles ou les bois de bout. Vous pouvez aussi utiliser un rabot à recaler.

1 Le bois de bout est poncé avec une cale à poncer ou – en faisant attention – avec un rabot à main.

2 Pour chanfreiner une pièce, tout d'abord tracez des marques, puis fixez-la avec des serre-joints. Alors commencez à raboter avec un rabot à recaler. Il est préférable de poncer d'abord les extrémités, à contre-fil, puis de raboter le panneau dans le sens du bois.

3 Adoucissez les arêtes ou les coins pointus des panneaux en ponçant les bords avec du papier de verre fin.

PRÉ-FINITIONS

Les menuisiers expérimentés réalisent souvent les finitions avant d'assembler le joint. Cette astuce leur donne de meilleurs résultats, plus rapides. Cela épargne le temps qu'il faudrait pour atteindre les endroits devenus inaccessibles et évite que le bois ne soit taché par la colle pendant l'assemblage. Vous penserez à ne pas poncer les bords qui seront collés par la suite.

Sécurité

Tous les outils pour travailler le bois sont potentiellement dangereux, y compris un simple mètre-ruban qui peut sans difficulté vous couper. Qu'il soit émoussé ou aiguisé, n'importe quel outil peut blesser s'il est utilisé de façon inappropriée, même si la croyance générale veut que l'on se coupe moins avec des instruments bien aiguisés qu'avec des outils émoussés.

Lunettes de protection

Masque anti-poussière

Casque anti-bruit

UTILISER DES OUTILS ÉLECTRIQUES

Le bon sens, bien sûr, réduit les risques de blessures, mais vous prendrez des précautions supplémentaires quand vous utiliserez des outils électriques. Portez toujours des lunettes de protection, un casque anti-bruit, ainsi qu'un masque anti-poussière. Les gants sont utiles, mais peuvent être encombrants et vous faire perdre la précision nécessaire au contrôle de l'outil – cela peut être dangereux.

MAINTENIR LE BOIS

Il est essentiel que le bois que vous coupez, rabotez ou façonnez, avec des outils électriques ou manuels, soit bien maintenu dans un étau ou sur un établi. Si le bois venait à déraper, vous pourriez vous couper. Sachez aussi que de nombreux bois tendres, spécialement ceux qui sont traités pour l'extérieur, produisent des éclats de bois.

PONÇAGE ET FINITION

Portez toujours un masque anti-poussière lorsque vous poncez à la main ou avec une ponceuse électrique. La plupart des produits de finition peuvent être utilisés en toute sécurité mais lisez avec attention les instructions.

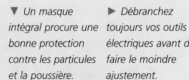

▶ *Une scie circulaire sur table est un instrument un peu effrayant : gardez vos mains éloignées de la lame et utilisez des baguettes pour des coupes dans la longueur.*

▼ *Un masque intégral procure une bonne protection contre les particules et la poussière.*

▶ *Débranchez toujours vos outils électriques avant de faire le moindre ajustement.*

NORMES GÉNÉRALES DE SÉCURITÉ

Prenez soin de suivre les normes de sécurité suivantes :
- Ne placez jamais vos doigts devant une lame.
- Ne portez jamais de vêtements flottants pour travailler.
- Ne travaillez jamais en force.
- Si vous vous sentez nerveux face à une manipulation, vous aurez plus de risques d'avoir un accident.
L'excès de confiance est aussi dangereux.

Bois de construction

Les réalisations de ce livre utilisent du bois de contruction dimensionné et des panneaux de contre-plaqué. Le bois de construction est proposé dans des dimensions plus ou moins standard qui varient d'un pays à l'autre. Vous trouverez dans ce livre à la fois la notation métrique (mm) et impériale (po). Les dimensions en pouces se donnent généralement au format non raboté (voir le tableau ci-dessous pour la correspondance).

GUIDE D'ACHAT

- Pour vous assurer que le bois est de même nature, achetez tout le bois nécessaire pour les éléments similaires au même moment – comme les lattes de la chaise longue page 82 ou les parties du cadre pour le banc avec deux bacs page 42.
- Si les planches, trop longues, sortent de votre voiture, le vendeur collera un autocollant rouge ou orange à l'arrière. La plupart des fournisseurs livrent également, n'hésitez donc pas à demander ce service si vous en avez besoin.

ACHETER DU BOIS TENDRE

Vous trouverez des rayons de planches de bois tendre dans les magasins d'outillage ou les scieries. Les planches se présentent sous différentes tailles. Vous pouvez en général les acheter au mètre ou en pieds et quand cela n'est pas possible, vous pouvez les faire couper aux dimensions. Prenez votre liste de fournitures avec vous et faites en sorte d'acheter un peu plus que nécessaire au cas où vous en auriez besoin plus tard.

▼ Des piles de planches de bois dans une grande scierie. L'opérateur collecte un échantillon au milieu de la pile pour vérifier la teneur en humidité.

COUPES STANDARD

Dimensions ap. rabotage (en mm)	Dimensions avant rabotage (en po)	Dimensions ap. rabotage (en po)
19 x 19	1 x 1	¾ x ¾
19 x 38	1 x 2	¾ x 1½
19 x 64	1 x 3	¾ x 2½
19 x 89	1 x 4	¾ x 3½
19 x 140	1 x 6	¾ x 5½
19 x 184	1 x 8	¾ x 7¼
38 x 38	2 x 2	1½ x 1½
38 x 89	2 x 4	1½ x 3½
38 x 140	2 x 6	1½ x 5½
38 x 184	2 x 8	1½ x 7¼
89 x 89	4 x 4	3½ x 3½

CONTRÔLE DE QUALITÉ

Lorsque vous achetez du pin, il est préférable de faire le tour du rayon pour trouver les meilleures planches. Le pin n'est pas toujours stocké convenablement et les planches sont par conséquent parfois défectueuses. Recherchez les défauts suivants :

1. Pourriture

N'achetez pas de bois de construction qui donne l'impression d'être resté humide.

2. Les attaques d'insectes

N'achetez pas de bois couvert de petits trous. L'insecte sera peut-être éliminé, mais le bois restera fragilisé. Si vous vous en rendez compte après l'avoir déchargé, ne le posez pas sur une pile de bois au cas où l'insecte serait toujours présent.

3. Craquelures

Si le bois a séché trop rapidement, les extrémités pourront être craquelées ou fissurées à cause de la contraction du bois. Ces planches pourront être correctes au centre, mais vous gâcherez les extrémités et la planche pourrait avoir d'autres problèmes. N'achetez jamais non plus de planche avec une fissure au milieu.

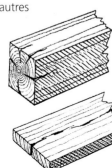

4. Fentes

Les extrémités d'une pièce de bois pourront se fendre au moment du séchage car les extrémités sèchent plus vite que le centre. Achetez-les uniquement si vous n'utilisez pas les extrémités, mais ne payez pas pour les bouts fendus.

5. Les nœuds

Essayez d'éviter les bois noueux car les nœuds apparaissent aux finitions et se trouvent invariablement juste à l'emplacement de la jointure. Les bois tendres et les pins clairs de première qualité n'ont pas de nœuds. Dès que vous prenez une qualité inférieure, le bois peut contenir des nœuds. Choisissez votre bois en fonction de son utilisation, mais n'achetez jamais une pièce avec des nœuds non adhérents.

LES DÉFORMATIONS DU BOIS

Pour ces réalisations, vous utiliserez du bois tendre, dans de petites dimensions, qui aura peu de chance d'être bombé. Les longues planches sont souvent incurvées sur la longueur. Même si vous finissez par couper les extrémités pour réduire la longueur et que, de ce fait, la courbe est moins prononcée, il est toujours préférable de choisir des planches droites.

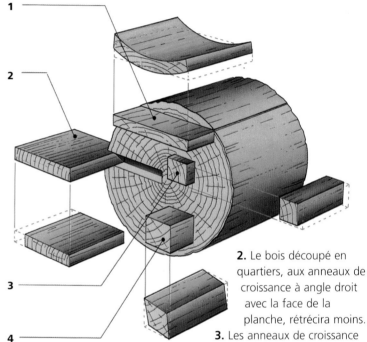

1. Les planches larges rétréciront plus en largeur qu'en longueur ou en épaisseur et s'incurveront dans le sens opposé du cœur de l'arbre.

2. Le bois découpé en quartiers, aux anneaux de croissance à angle droit avec la face de la planche, rétrécira moins.

3. Les anneaux de croissance perpendiculaires signifient un rapport optimum de stabilité.

4. Les sections carrées, aux anneaux de croissance en diagonale, auront tendance à se déformer en losange.

ACHETER DES PANNEAUX MANUFACTURÉS

C'est un bonheur d'acheter des panneaux manufacturés car ils restent droits et entiers. Ils sont peut-être lourds et peu maniables quand vous les achetez mais ils simplifieront la plupart des étapes de menuiserie. Ils sont en général disponibles en 1200 x 2400 mm (4 x 8 pieds) d'épaisseur variable. Vous pourrez obtenir quelques découpes gratuites dans une scierie ou un magasin de bricolage. En payant, vous pourrez faire effectuer toutes vos découpes.

Le contre-plaqué

Nous avons choisi le contre-plaqué pour certaines des réalisations car il est disponible dans tous les magasins, et souvent en plus petite dimension que les panneaux manufacturés. Il se présente sous différentes épaisseurs et qualités. Pour les meubles de jardin, nous recommandons le contre-plaqué d'extérieur ou marine. Le contre-plaqué de bouleau est de meilleure qualité mais plus cher.

COLLER LE BOIS

La colle résistant à l'eau est le meilleur choix pour ces projets. La colle blanche et la colle jaune ont du succès. Peu importe la colle utilisée car vous l'étalerez de la même manière. Assurez-vous que le pot de colle n'est pas rempli de vieux bouts de colle séchée car cela affecterait votre assemblage.

Les assemblages

1 Appliquez une goutte de colle de chaque côté du joint. Utilisez votre doigt ou une languette pour répartir la colle le long de la jointure. Trop de colle et l'assemblage sera difficile à réaliser, pas assez et il sera fragile.

2 Vissez les pièces de l'assemblage tant que la colle est encore humide. Cela réunira les faces encollées et fera un assemblage beaucoup plus solide.

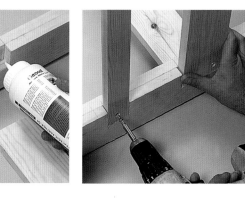

Les bouchons de bois

1 Les bouchons de bois dur sont utilisés pour masquer les têtes de vis. Pressez une goutte de colle dans le trou fraisé au diamètre du bouchon.

2 Enfoncez les bouchons avec un maillet. Retirez l'excédent avec un ciseau à bois ou une scie à araser et poncez avec une cale.

LES DIFFÉRENTS BOIS DE CONSTRUCTION

Le bois tendre proposé à la vente – généralement le pin ou l'épicéa – est le bois le plus facile à couper et à travailler pour les débutants. Cependant pour la solidité et la longévité, le bois dur représente le meilleur choix, même s'il coûte plus cher et qu'il requiert un degré plus élevé de compétences.

Le cèdre

À la place du bois dur vous choisirez peut-être le cèdre. C'est l'un des bois tendres le plus résistant et il est très à la mode pour les terrasses et les meubles de jardin.

Le Douglas vert

Le Douglas vert est souvent utilisé pour les structures d'extérieur, en particulier pour les pergolas et les tonnelles. Il est solide et résistant, idéal pour les meubles de jardin.

Le chêne

Le chêne est en vogue pour sa texture et son grain, même si sa couleur miel tourne au gris – sauf s'il est protégé ou à l'intérieur. Il peut être difficile à travailler car le bois est très dur. Vous trouverez du chêne blanc ou rouge, tous deux appropriés pour les meubles de jardin.

Le teck

On utilise le teck pour faire des bateaux et des meubles de jardin depuis des siècles. C'est un bois solide et résistant dont la texture huileuse supporte bien l'humidité. Sa couleur varie du marron clair de l'aubier au marron foncé du cœur.

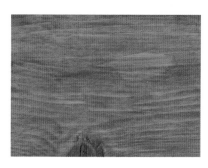

Les finitions

Les meubles et accessoires de jardin sont prévus pour résister au vent, à la pluie et au grand soleil. Heureusement vous pouvez appliquer différents vernis et conservateurs pour prolonger la vie du bois dans le jardin ou utiliser du bois traité vendu dans les scieries et les jardineries.

La peinture

Vous n'êtes pas obligé de laisser le bois dans sa finition naturelle. La peinture est un moyen coloré de le protéger, mais pour que cela dure il faut apprendre à préparer le bois et à appliquer la peinture.

1 Appliquez de la laque blanche sur les nœuds. La laque empêche la résine de suinter à travers la peinture. C'est particulièrement important pour les bois tendres qui ont tendance à être plus résineux que les bois durs.

2 Bouchez toutes les fissures avec de la pâte à bois, laissez la pâte sécher et poncez doucement. Quand vous bouchez une tête de vis fraisée, la pâte risque de s'enfoncer un peu en séchant. Rajoutez un peu de pâte si c'est le cas.

3 Poncez en trois étapes. D'abord, utilisez un papier de verre grossier, puis d'une dureté moyenne, et finissez avec du fin.

4 Appliquez la sous-couche avec un pinceau de 50 mm (2 po). Faites attention à la passer dans tous les endroits difficiles à atteindre. La sous-couche aide à fixer la peinture sur le bois. Laissez-la bien sécher.

5 Passez la première couche dans le sens du bois. Peignez d'abord les endroits difficiles d'accès et faites disparaître toutes les aspérités entre ces zones et le corps du meuble.

6 Une fois que la première couche est sèche, passez un chiffon anti-poussière. Appliquez la deuxième couche et laissez sécher toute la nuit.

7 Deux couches sont souvent suffisantes, mais en fonction de la nuance de la peinture, vous en ajouterez une troisième. Peignez avec soin pour un meilleur résultat. Beaucoup de peintures d'extérieur sont acryliques, ce qui les rend plus faciles à utiliser et plus rapides à sécher que les peintures glycéro.

Boucher les trous

Pour ces réalisations, vous aurez besoin de boucher les têtes des clous, les têtes des vis fraisées et les interstices entre les joints. Si vous avez l'intention de peindre le panneau, la couleur de l'enduit n'a pas grande importance. Mais si vous utilisez un vernis clair ou même opaque, choisissez votre enduit avec soin. Il est préférable d'utiliser un enduit un peu plus foncé que le bois car il fait penser à un défaut naturel.

1 Appliquez l'enduit avec une lame de couteau flexible. Répartissez l'enduit sur le trou jusqu'à ce qu'il soit bouché et même un peu en relief. Une fois l'enduit sec et poussiéreux vous pourrez le poncer.

2 Si vous ne trouvez pas la bonne couleur d'enduit, vous pourrez mélanger de la sciure du bois en question avec de la colle blanche ou jaune. Ajoutez de la sciure jusqu'à ce que ce soit épais et exploitable et mélangez énergiquement. Cela prend plus de temps à sécher que les enduits vendus dans le commerce – en général au moins deux heures. Lorsque c'est bien sec, poncez un peu.

TEINTER LE BOIS

De nombreuses personnes veulent vieillir leurs réalisations, c'est pourquoi elles teintent le bois. Vous avez deux possibilités pour teinter le bois sans cacher le grain. Vous pouvez utiliser un vernis déjà teinté ou vous pouvez teinter le bois et ensuite le protéger avec un vernis transparent. Cette dernière technique vous donne plus de flexibilité et permet à la teinture de mieux pénétrer le bois. Les vernis colorés peuvent donner l'impression d'être superficiels mais ils rendent la finition plus lisse quand le bois ne peut pas être teint.

1 Testez votre vernis sur un morceau de chute avant de l'utiliser sur le meuble. Vous pouvez assombrir une teinture en appliquant du vernis ou de l'huile sur le bois après l'avoir teint ou en passant plusieurs couches, mais souvenez-vous que vous ne pourrez pas l'éclaircir.

2 Enduisez et poncez le meuble, en sachant que les vernis amplifient tous les défauts sur le bois nu.

3 Appliquez la teinture. Faites en sorte d'avoir toujours assez de teinture sur votre pinceau. Si vous laissez sécher un bord teinté – et cela peut arriver rapidement – vous risquez de laisser une marque.

4 Laissez sécher la teinture mais ne poncez pas. Passez deux couches de vernis transparent ou de polyuréthane, en ponçant avec du papier de verre fin entre les couches une fois la première couche sèche. Il est important de poncer entre les couches car le vernis ou polyuréthane augmente le grain du bois. Vous poncerez également entre les couches de vernis précoloré.

PROTÉGER LE BOIS CONTRE LE POURRISSEMENT

La peinture est certainement un moyen de protéger le bois contre le pourrissement et les parasites, mais il en existe d'autres. Vous pourrez choisir de réaliser les meubles avec du bois plus résistant que le bois tendre, mais cela augmentera le coût. Les bois les moins chers mais les plus résistants sont le cèdre, le cyprès, le Douglas vert et le séquoia.

HUILER VOTRE MEUBLE

Les produits à base d'huile, en général de l'huile de lin, sont de plus en plus populaires car ils sont naturels. L'huile conserve l'humidité du bois. Vous devrez appliquer une nouvelle couche une fois par an, mais c'est très facile à appliquer et un vernis d'huile ne s'écaille pas et ne fait pas de paillettes.

1 Bouchez les trous des nœuds, les interstices et les têtes de clous ou de vis avec de la pâte à bois et poncez après que la pâte a séché. Appliquez la première couche d'huile avec un pinceau ou un tampon à récurer entouré d'un chiffon.

2 Après dix minutes environ, utilisez un chiffon propre pour ôter l'excès d'huile sinon cela peut durcir et faire un beau gâchis. Une fois l'huile bien sèche – en général après 48 heures – appliquez une seconde couche. Entre les couches, frottez avec un tampon à récurer. Appliquez plusieurs couches jusqu'à ce que vous soyez satisfait du résultat.

PROTÉGER LE BOIS DANS LE JARDIN				
Type de finition	**Difficulté d'application**	**Protection**	**Coût**	**Entretien**
Polyuréthane	Moyenne	Moyenne	Moyen	Renouveler tous les deux ans
Traitement du bois	Facile	Bonne	Moyen	Faible
Huile	Facile	Faible à moyenne	Moyen	Important
Peinture	Moyenne à difficile	Bonne	Moyen	Faible à moyen

IDÉES ET PROJETS

Vous trouverez ici un grand nombre de réalisations très stylées et élégantes qui peuvent être réussies en suivant directement les instructions pas à pas. Dans le chapitre « Jardinières et pots », vous apprendrez comment faire un bac classique, un banc avec deux bacs, une jardinière qui peut aussi être améliorée d'une fontaine, tandis que la plus grande rubrique – « Chaises et tables » – couvre une grande variété de chaises élégantes, de bancs et de tables. Le chapitre « Séparations et arches » inclut les panneaux de treillis et les arches qui sont destinés à faire des espaces privés ou montrer des aspects particuliers de votre jardin, et de surcroît nous vous montrons comment attirer les oiseaux et les papillons dans la rubrique « Les abris pour la faune ». Enfin « Les loisirs » propose une série de projets pour amuser toute la famille. Ce livre vous présente à la fois les 20 réalisations que vous pouvez faire ainsi que les produits disponibles dans le commerce et couvre tous les principaux meubles de jardin et agencements.

POINTS POSITIFS

CROISSANCE RAPIDE

MOBILE

CLASSIQUE – INDÉMODABLE

PLANTATIONS ÉTUDIÉES

POUR ATTIRER LES PAPILLONS

Les papillons se nourrissent sur les plantes qui poussent au soleil. Prenez soin de trouver un bel endroit au soleil pour ce bac. Quelques plantes attirant les papillons :

Agastache

Aster

Cleome

Coreopsis

Cosmos

Nicotiana

Rudbeckia

Salvia

COULEURS D'HIVER

Mélanger les persistants avec des plantes à fleurs rustiques pour apporter quelques variations de hauteur dans un bac d'hiver. Les plantes et arbres suivants résistent aux plus froides températures.

Bruyères

Conifères nains

Choux d'ornement

Épinette

Herbes variées

Lierre rampant

Pensées.

Plantes bulbeuses
  (narcisses nains)

Primevères

Lierre

ANTI-MOUSTIQUES

Si vous habitez près d'un point d'eau, que les insectes vous envahissent pendant les mois d'été, intégrez quelques-unes des plantes suivantes dans vos potées. Mettez une couche de copeaux de cèdre à la fin.

Absinthe

Citronnelle

Fausse ortie

Menthe poivrée

Pouliot

Réglisse

◀ *Utilisez des potées d'herbes et de fleurs pour apporter des senteurs et des couleurs au plus petit coin sombre de votre jardin.*

Jardinières et pots

Le jardinage en pots fait le meilleur usage d'un espace limité. Tandis que les pots et bacs à fleurs peuvent être spectaculaires dans les grands jardins, soulignant des entrées ou enjolivant des coins perdus, ils prennent toute leur importance lorsqu'ils sont dans un endroit confiné. Les bacs à plantes sont une très bonne occasion de placer vos arbres tropicaux à l'extérieur pendant l'été. Les balcons, les arrière-cours et le cadre des cours intimes peuvent être transformés par l'utilisation judicieuse de conteneurs choisis avec soin et de leurs plantations.

UNE PANOPLIE DE CHOIX

La diversité des conteneurs est grande : de l'imposante urne antique au pot en plastique de couleur vive, avec toutes les variations possibles entre les deux. Toutes les tailles et formes existent, dans des matériaux naturels ou synthétiques, avec des décorations ou d'un ton uni. Vous pouvez aussi construire votre propre bac à plantes, et dans ce cas, vos seules contraintes seront la taille de votre jardin, votre budget et l'étendue de vos connaissances en menuiserie. Avec un minimum de chacune, comme le montre ce chapitre, vous pourrez construire un bac qui embellira votre jardin ou balcon pour les années à venir.

CHOISIR VOTRE BAC À PLANTES

À peu près tout conteneur avec des trous de drainage au fond peut être utilisé comme bac à plantes. La tradition se porte vers les pots en céramique et les bacs à fleurs en bois mais les vieux seaux en métal, les cages d'oiseaux et les pneus de voiture peuvent aussi être utilisés avec beaucoup d'effet. Même si votre espace est très restreint – sur un balcon, par exemple – vous pouvez toujours exprimer votre goût à travers le choix du bac à fleurs et des plantations. Que vous construisiez ou achetiez, il est important de tenir compte des exigences et des qualités de votre jardin.

• Cherchez-vous à introduire des cloisons dans une partie de votre jardin ? Si c'est le cas, pensez aux mérites des caisses à oranger disposées en paliers, des gros pots, des bacs muraux ou des bacs avec une pergola. Chacun a une contenance et des plantations différentes.

• Sur quelle surface désirez-vous planter ? Est-ce qu'un grand conteneur serait approprié ? Ou plusieurs petits pots ? Un grand bac sèchera moins vite et pourra contenir de plus grandes plantes mais vous obtiendrez plus de fantaisie avec des petits pots de même variété, peut-être de tailles différentes.

• L'entretien est-il important ? Si vous êtes souvent absent ou si l'accès à l'eau est limité, de grands bacs en matériaux imperméables sont une réponse possible. La plupart des bacs requièrent un arrosage par jour en été et de l'engrais une fois par semaine.

• Préférez-vous installer un jardin où vous pourrez déménager les meubles à volonté ? Ou préférez-vous un jardin stable dans le temps ?

• De quel type de climat bénéficiez-vous ? La plupart des plantes en pot nécessitent un ensoleillement minimum de cinq heures par jour. Si votre terrain est très venteux ou très ensoleillé, vous aurez sûrement besoin de construire des tonnelles pour protéger les plantes délicates. Si votre climat est froid, vous choisirez des bacs mobiles pour les rentrer à l'intérieur pendant l'hiver. D'un autre côté, si votre climat est chaud, pensez à choisir des pots de couleur claire pour diminuer l'absorption de chaleur.

Les matériaux

Le choix des matériaux pour vos bacs sera influencé par votre terrain et votre budget autant que par votre style préféré. Choisissez un matériel résistant et non gélif à chaque fois que cela est possible. Un autre point à garder en mémoire est le poids du bac. Dans la plupart des cas, vous aurez besoin de le placer à l'endroit désiré avant de le remplir du mélange de terre et des plantes, car cela augmentera son poids de façon significative. C'est surtout important si vous utilisez des bacs sur un balcon ou sur d'autres surfaces sensibles au poids.

◀ ▲ *Ces caisses à oranger en pin (à gauche) ont été traitées avec un vernis non toxique et conservent leur couleur naturelle. Les formes classiques des arbustes, comme les feijoa, complètent la sobriété de la composition (ci-dessus), tandis que le lierre débordant et la profusion de chrysanthèmes atténuent les angles des bacs.*

LE BOIS

Les caisses en bois se déclinent sous de nombreuses formes et tailles : des bacs carrés avec des fleurons aux demi-tonneaux rustiques. Lorsque vous achetez ou que vous construisez un bac, prenez-le en bois dur (séquoia, cèdre) pour réduire le risque de pourrissement, et passez une couche de peinture acrylique non toxique à l'intérieur du bac. L'extérieur d'un bac en bois peut être peint de la couleur de votre choix, et il existe maintenant de nombreuses couleurs disponibles de vernis décoratifs en même temps que protecteurs.

LA PIERRE

Les bacs en pierre peuvent être lisses ou sculptés, avec des prix en rapport avec le travail de finition. Il est préférable de considérer tous les choix possibles avec soin dans la mesure où

▶ *La simplicité rustique de ce tonneau trouve écho dans le charme des chrysanthèmes, qui s'accordent parfaitement bien avec la couleur du bois.*

les bacs vont durer toute la vie. Si vous êtes irrésistiblement attiré par une petite urne finement ornée de rebords décoratifs, ne couvrez pas ces rebords de plantes rampantes.

L'ARGILE ET LA TERRE CUITE

Ces pots sont peut-être les pots les plus couramment utilisés pour des plantations. Ils peuvent être simples, ornés, peints ou vernis. La terre cuite sèche rapidement, et les plantes auront besoin d'arrosages fréquents, à moins qu'elles ne soient dans un système de double pots (avec un plus petit pot à l'intérieur du plus grand) et dont l'espace entre les deux est garni de sphaigne. Les pots en céramique vernie sont moins susceptibles de s'assécher ou de geler, mais vérifiez les trous de drainage car ces pots sont souvent vendus sans trous.

▲ ▶ Les pots en terre cuite (ci-dessus et à droite) sont proposés dans un grand choix de tailles et de formes. La terre cuite non vernie vieillit agréablement tandis que les sels et minéraux sont absorbés par l'argile. La jardinière en bois peint (à droite) se prête à un arrangement classique blanc et rouge.

▲ ▶ Se limiter à l'utilisation de terre cuite (ci-dessus) aide à mettre en valeur les formes spectaculaires des conteneurs tout en les protégeant des plantations écrasantes. La pierre (à droite) est un matériau classique pour une jardinière. Elle s'accorde bien avec tout type de plantation et se fond dans le décor tout en étant presque indestructible.

LE PLOMB ET LE MÉTAL

Les bacs traditionnels de jardin, en plomb, sont assez chers, mais ils peuvent être superbes dans un jardin classique ou créer une subtile mise en valeur d'une petite partie du jardin. Essayez de les placer tout de suite dans leur position finale, car ils seront presque impossibles à déménager une fois remplis de terre et de plantes.

Cette forme de pots est la plus durable, mais de nombreux jardiniers ne la choisissent pas, de peur que le plomb ne s'infiltre dans la terre. Par bonheur, il existe de très beaux pots en faux plomb ; ils ont aussi l'avantage d'être plus légers. L'acier peut aussi ajouter une touche éclatante et contemporaine au jardin. Les bacs en fer tréfilé ou en fer forgé se présentent sous différentes formes : du simple panier à l'explosion d'ornements et de fleurs. Une grande part de leur attrait réside dans le fait qu'ils montrent la terre riche qui est en général cachée, ou encore une rangée de mousse qui pousse entre les mailles grillagées.

▲ Les pots en acier galvanisé, poli ou tréfilé sont disponibles en de nombreux styles pour tous les goûts. Ils apportent une touche décorative et moderne au jardin et sont relativement peu chers.

▲ Les bacs en plomb sont les conteneurs les plus convoités. Ici, une caisse en plomb procure un parfait contrepoint à cette élégante taupière en spirale d'un buisson de houx.

◄ ► Ces deux coupes en fer forgé (à gauche) disposées en paliers pourraient être le cadre idéal pour une présentation de cascades de fleurs. Le poids et la couleur de ce coffre en plomb (à droite) sont allégés et éclaircis par une profusion d'azalées.

◀ *La profusion de plantes sur cet étal en métal tréfilé (à gauche) est idéale pour un jardin de campagne. Le mélange des plantes à même l'étal et des pots de terre cuite accroît l'impression d'abondance.*

▼ *Les bacs en plastique sont disponibles dans une grande gamme de formes, tailles et couleurs. Ils sont légers ce qui peut être un avantage, mais vous aurez peut-être besoin d'évaluer avec soin ce que vous y plantez et où vous les mettez.*

LE BÉTON

Le béton est très utilisé dans les jardins contemporains pour des formes géométriques audacieuses. Il peut être coloré pour aller avec l'esprit du jardin ou vieilli avec une couche de lait ou de yaourt. En effet, les bactéries des laitages favorisent la mousse, vieillissant l'aspect du béton.

LE PLASTIQUE

Le plastique est le matériau le moins cher et le moins fragile. Mais il peut avoir l'air artificiel dans un jardin, à moins qu'il ne soit recouvert de plantes rampantes ou qu'il soit transformé pour ressembler à du plomb ou de la terre cuite. Si vous recherchez un effet moderne et excentrique, le plastique pourra être une bonne solution.

Il retient l'humidité beaucoup plus longtemps que l'argile mais il se détériore vite au soleil. Il pourra devenir le pot d'intérieur dans un système de double pots. Ces pots peuvent être placés à part et les plantes cultivées dans un autre endroit, avant d'être rempotées dans une jardinière par exemple.

LES CONTENEURS IMPROVISÉS

Si vous cherchez à vous démarquer alors vous verrez que vous pourrez vous servir de presque tout ce que vous avez à disposition pour réaliser un conteneur, à l'unique condition qu'il soit possible de faire des trous de drainage au fond du pot. Des pierres, des drains en argile peuvent être utilisés pour réhausser et donner de la singularité dans un jardin, de même que des conduits de cheminée sont utilisés en Europe, où ils sont disponibles en reproduction ou sous forme « d'antiquités ». Toutes sortes d'objets en bois seront allègrement transformés en bacs à plantes. Les brouettes en bois, qui ont le grand mérite d'être transportables, font des grands bacs rêvés. Les jardinières, caisses de vin et cages d'oiseaux en métal et bois peuvent être un point de départ pour de fantastiques bacs. Si vous voulez introduire plus de métal dans votre jardin, des pichets, des pots à lait, des arrosoirs peuvent être amusants – laissez juste parler votre imagination !

◄ Une jardinière en bois sur le bord d'un balcon peut être remplie de plantes telles que le lierre, les pensées et les mauves pour créer un jardin dans les plus petits endroits. La jardinière ici a été vissée sur le rail du balcon pour plus de sécurité.

◄ Avec un peu d'imagination n'importe quel réceptacle peut être transformé en un bac esthétique et original. Ici, le charme rustique d'une vieille brouette en bois est adouci et réhaussé par une variété de plantes rampantes et de grosses courges.

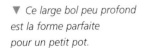

▼ Ce large bol peu profond est la forme parfaite pour un petit pot.

◄ *Suspendre des paniers et des jardinières donne un meilleur volume et un intérêt visuel. Les paniers suspendus (à gauche) sont doublés de mousse de sphagnum et remplis de plantes rampantes tandis que la forme de la jardinière (à droite) fait écho avec les plantations en quinconce de géraniums.*

TABLEAU COMPARATIF DES DIFFÉRENTS BACS ET MATÉRIAUX

Caractéristiques	Bois	Pierre	Terre cuite	Plomb	Béton Plastique	Fibre de verre
Longévité	Bonne s'il est traité; Vérifiez les échardes ou les voiles	Excellente	Déplacer avec précautions ; peut craqueler et fissurer	Très bonne tenue ; peut durer des centaines d'années	Excellente	La fibre de verre est très résistante ; le plastique se détériore rapidement sous les températures extrêmes
Poids	Moyen	Très lourd	Assez lourd	La plus lourde forme de bacs	Très lourd	Très léger
Résistance au gel	Bonne s'il est traité ; Peut craquer avec des changements de température	Très bonne	Les pots non vernis craqueront avec le froid ; un vernis épais apporte une bonne protection	Résiste au gel	Résiste au gel	Les pots en plastique peuvent craquer avec le gel
Capacité de rétention d'eau	Elle dépend du style du bac ; il peut être préférable d'utiliser un pot intérieur	Bonne ; vérifiez qu'il y a des trous de drainage	Les pots non vernis requièrent de fréquents arrosages. Les pots vernis sont imperméables	Excellente rétention d'eau. Faites les trous de drainage ou utilisez-le en cache-pot	Excellente rétention d'eau. Faites les trous de drainage ou utilisez-le en cache-pot	Très bonne rétention d'eau ; utile comme pot intérieur
Coût	Moyen	Moyen à élevé	Faible à moyen	Élevé à très élevé	Faible à moyen	Faible

Un bac classique

MATÉRIEL REQUIS

Pieds (A)
4 tasseaux de bois tendre
de 600 x 89 x 89 mm (24 x 4 x 4 po)

Lattes pour les pieds (B)
8 lattes de bois tendre
de 535 x 38 x 19 mm (21½ x 2 x 1 po)

Base (C)
1 feuillet de contre-plaqué marine
de 600 x 600 x 12 mm (24 x 24 x ½ po)

Panneaux latéraux (D)
4 pièces de contre-plaqué marine
de 470 x 550 x 12 mm (19 x 22 x ½ po)

Moulures (E)
Environ 8 m (26 pieds) de cimaise

Pièces de corniche (F)
4 pièces de bois tendre
de 675 x 89 x 19 mm (27 x 4 x 1 po)

Ornements (G)
4 ornements décoratifs
ou des têtes de piquet de cloison

Quincaillerie et finitions
Colle à bois d'extérieur

Environ 35 vis galvanisées
ø 8 x 40 mm (1½ po) pour attacher
les lattes des pieds et la base

Environ 60 clous galvanisés
de 40 mm (1½ po) pour attacher les
panneaux latéraux et les corniches

Environ 50 clous de finition galvanisés
de 15 mm (⅝ po) pour attacher
les moulures

Pâte à bois d'extérieur

Protections pour bois, lazure, peinture,
teinture, vernis

Outils
Trousse à outils de base et foret à trois
pointes suffisamment large pour les trous
des ornements

Les bacs, comme cette caisse à oranger, pourront convenir dans de nombreux d'endroits, dans un patio ou un jardin. Ils égaieront les coins ombragés et auront du style devant une entrée ou au début d'une allée. Cette caisse est de style classique, avec des moulures sur les panneaux latéraux et des décorations sur les coins. C'est une grande caisse ; un arbuste ou un petit arbre pourront être plantés dedans ou dans un pot placé à l'intérieur. Vous pourrezen faire une version plus petite en réduisant toutes les dimensions. Tapissez l'intérieur de polyéthylène si vous comptez la remplir d'un mélange de terres et traitez avec une lazure. Portez une attention particulière aux bouts des pieds qui seront plus exposés à l'humidité. Peignez la caisse de la couleur qui vous convient ou appliquez une teinture bois et/ou du vernis.

► *Sa forme classique et ses moulures font de cette caisse à oranger le bac rêvé pour l'élégance fuselée d'un petit conifère, comme ce genévrier miniature montré ici.*

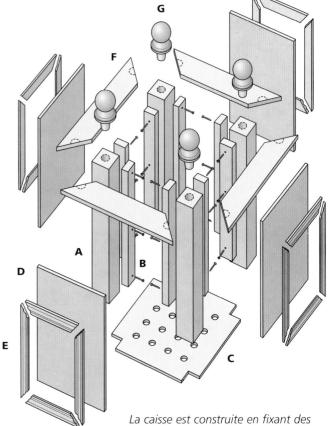

La caisse est construite en fixant des lattes aux quatre pieds et ensuite les panneaux latéraux et la base à ces lattes. Les moulures en onglet et les ornements donnent l'aspect classique de la décoration.

1 Vérifiez que les bouts des pieds (A) sont carrés. Percez et fraisez les lattes des pieds (B), collez et vissez deux lattes sur les faces adjacentes de chaque pied affleurant sur les côtés et le sommet des pieds, mais à 65 mm (2½ po) du bas pour accueillir la base de la caisse.

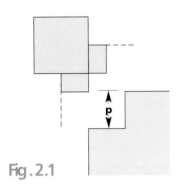

Fig. 2.1

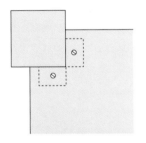

**Profondeur
de l'encoche
p = 65 mm (2½ po)**

2 Coupez la base (C) et les côtés (D) aux dimensions avec une scie égoïne, ce qui entraîne moins d'échardes qu'une scie sauteuse et reste plus facile. Puis coupez des encoches sur les coins de la base afin de fixer les bouts des pieds (fig. 2.1).

3 Percez et fraisez la base autour des encoches et vissez au bas des languettes sur deux des pieds. Utilisez des vis qui entrent au moins de 25 mm (1 po) dans les languettes, mais vissez-les avec précaution car vous pourriez fendre le bois.

4 Lorsque vous aurez vissé la base entre deux des pieds, montez deux des panneaux latéraux, en les collant et en les clouant aux languettes des pieds et à la base.

5 Une fois que deux des panneaux latéraux sont en place, fixez les deux derniers pieds et panneaux latéraux restants. Enfin, utilisez un chasse-clou pour enfoncer les têtes des clous avant les enduits.

6 Coupez deux languettes de moulure (E), une pour la largeur du panneau latéral et l'autre pour la longueur. Placez ces pièces sur les bords extérieurs des panneaux et marquez le long du bord intérieur de la moulure pour former deux côtés d'un carré. Avec la moulure, marquez les deux autres côtés. Maintenant coupez quatre pièces de moulure dans la longueur d'un côté de ce carré et faites des onglets aux coins. Essayez l'arrangement du carré à onglets sur un des panneaux latéraux et coupez les 12 pièces de moulure qui restent aux dimensions.

LANGUETTES ET RAINURES

Pour une apparence plus rustique, vissez des languettes à rainures sur les panneaux de contre-plaqué à la place des moulures. Fixez chaque longueur de languette à rainure avec trois vis, en haut, au milieu et en bas, toutes alignées au centre de chaque languette (fig. A). Ne serrez pas les planches. Au contraire, donnez à chacune une marge de 3 mm (⅛ po) à l'intérieur de la rainure. Pour créer assez d'espace pour la languette et les rainures, repositionnez les panneaux latéraux en contre-plaqué en utilisant des languettes de 19 x 19 mm (1 x 1 po) pour les pieds.

Fig. A

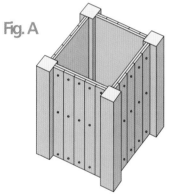

Fig. B

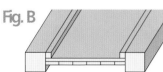

Vous pouvez aussi utiliser la construction à châssis décrite pour le banc à double bacs (page 42) et placer les languettes et rainures sur le châssis (fig. C). Doublez l'intérieur de contre-plaqué avant de planter.

Fig. C

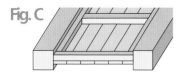

7 Serrez une moulure en position le long de la ligne tracée comme référence, puis collez et clouez les trois autres pièces. Enlevez le serre-joint, puis collez et clouez la quatrième pièce. Enfoncez toutes les têtes de clous à l'aide d'un chasse-clou. Répétez l'opération sur les trois côtés.

9 Percez des trous pour les ornements avec un foret à trois pointes. La taille des ornements variant d'une marque à l'autre, faites attention de prendre le bon foret pour faire un trou ajusté. Collez les ornements dans les trous, en prenant soin de vérifier que toutes les déchirures autour des trous sont masquées. Utilisez le foret à trois pointes pour réaliser une vingtaine de trous dans la base du bac pour le drainage. Cessez de percer avec le foret à trois pointes lorsque le foret dépasse de l'autre côté du contre-plaqué. Percez alors de l'autre côté pour éviter de déchirer le bois.

8 Coupez les onglets sur les pièces des bordures (F) et faites un assemblage d'essai pour vérifier que les pièces s'ajustent. Collez et clouez les bordures aux extrémités des pieds. Calculez le centre sur chaque joint pour placer les ornements (G).

10 Bouchez tous les trous de clous et vis avec de la pâte à bois et poncez jusqu'à ce que ce soit lisse. Quand il est sec, l'enduit se rétracte dans les trous des vis, c'est pourquoi vous le laisserez une nuit après l'avoir poncé pour éviter un creux et pour en remettre le cas échéant. Alors, vous appliquerez le traitement pour bois, puis la couleur de votre choix, la teinture et/ou le vernis. Si vous désirez ajouter un revêtement imperméable sur votre bac, regardez les détails donnés pour le banc et les deux bacs page 45.

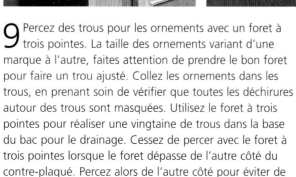

Le banc avec deux bacs

MATÉRIEL NÉCESSAIRE

Cadres de caisse (A)
16 tasseaux de bois tendre
de 900 x 38 x 19 mm (36 x 2 x 1 po)
pour les pièces verticales du cadre

16 tasseaux de bois tendre
de 600 x 38 x 19 mm (24 x 1 x 2 po)
pour les pièces du dessus et du dessous

8 tasseaux de bois tendre
de 560 x 38 x 19 mm (22½ x 1 x 2 po)
pour les pièces centrales du cadre

Pieds (B)
8 tasseaux de bois tendre
de 1000 x 89 x 89 mm (40 x 4 x 4 po)

Bases (C)
2 panneaux de 725 x 725 x 12 mm
(29 x 29 x ½ po) de contre-plaqué marine

Revêtement pour les côtés (D)
2 feuillets de contre-plaqué marine de
1200 x 2400 mm (4 x 8 pieds) x 12 mm

Panneaux à lattes (E)
48 lattes de 950 mm (38 po) x 89 x 19 mm

Pièces des bordures (F)
8 planchettes de 800 (32 po) x 89 x 19 mm

Chevrons du banc (G)
2 planches de bois tendre
de 1750 x 38 x 38 mm (70 x 1½ x 1½ po)

Les lattes du banc (H)
18 lattes de 560 mm (22½ po) x 89 x 19 mm

Montants du banc (I)
2 feuillets de 1750 mm (70 po) x 89 x 19 mm

Supports du banc (J)
4 feuillets de contre-plaqué marine de
560 x 75 x 12 mm (3 x 22½ x ½ po) (chutes
des panneaux D ci-dessus collés ensemble)

Quincaillerie et finitions
Colle à bois d'extérieur

Une boîte de 500 clous galvanisés de
40 mm (1½ po) pour assembler les caisses

12 vis galvanisées ø 8 x 50 mm (2 po)
pour l'assemblage des chevrons
aux montants du banc

Environ 50 vis galvanisées ø 8 x 35 mm
(1½ po) pour assembler tous les autres
éléments du banc

Protection pour bois, peinture, teinture, vernis

Outils
Trousse à outils de base

Prenez deux caisses à oranger, assemblez-les avec des lattes et des chevrons, et vous aurez un banc avec des bacs, création utilisant deux des éléments les plus utiles dans un jardin. Le style est contemporain, avec les lattes verticales des caisses et les lattes horizontales du siège et conviendrait sur un balcon de ville ou un patio, où l'espace prime.

Vous pourrez ajouter un dossier, ou même intégrer des montants, un treillis pour les côtés et un toit pour les plantes grimpantes. L'association banc et bacs offre une solution compacte, que vous pouvez facilement concilier pour deux personnes ou plus ou pour que les bacs accueillent des plantes plus ou moins grandes.

▶ *Ce banc accueille au moins deux personnes, mais peut être facilement adapté en augmentant la longueur de la traverse du fauteuil et des chevrons.*

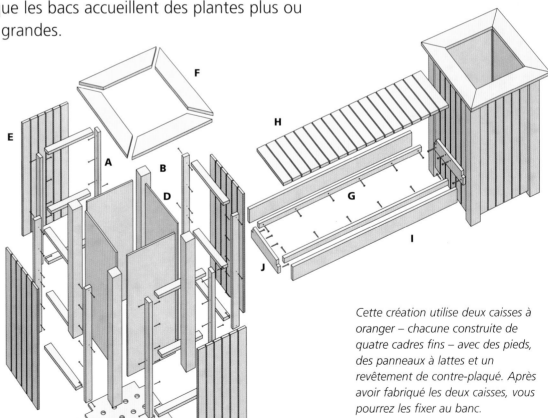

Cette création utilise deux caisses à oranger – chacune construite de quatre cadres fins – avec des pieds, des panneaux à lattes et un revêtement de contre-plaqué. Après avoir fabriqué les deux caisses, vous pourrez les fixer au banc.

1 Fabriquez quatre cadres (A) pour la première caisse. Plaquez les cadres contre une cale comme montré ci-dessous pendant que vous collez et clouez les éléments. Utilisez deux clous pour chaque assemblage.

2 Vérifiez que les bouts des pieds (B) sont bien carrés. Alignez les quatre pieds contre une équerre et tracez une ligne de 65 mm (2½ po) à partir d'un côté. Ceci indiquera le bord inférieur du cadre. Il est important d'aligner les pieds avec précision car la moindre variation entraîne l'instabilité de la caisse.

3 Sur la même face, tracez une ligne à environ 24 mm (1 po) du bord de chaque pied, comme guide pour les cadres. Cette mesure n'a pas besoin d'être exacte tant que c'est la même distance pour chaque pied.

4 Collez et clouez à l'un des pieds un cadre dans sa longueur, en l'alignant sur les marques à la verticale et à l'horizontale. Le dessus du cadre doit affleurer avec le dessus du pied.

Fig. 5.1

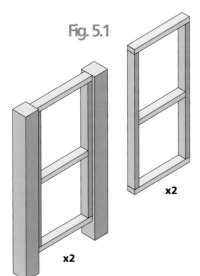

x2

x2

5 Collez et clouez le côté opposé du cadre à un autre pied exactement de la même façon. Répétez ces opérations pour assembler les deux autres pieds avec un cadre. Vous avez maintenant deux ensembles « pieds et cadre » et deux cadres supplémentaires (fig 5.1).

6 Posez un premier assemblage de cadre avec pieds sur le sol. Marquez un trait sur chaque pied comme auparavant pour la position des cadres puis collez et clouez un cadre sur chaque pied. La construction commence à prendre forme même si cela n'est pas très stable à ce stade.

CLOUER LES CADRES

Lorsque vous assemblez les cadres, il est préférable d'utiliser deux clous par joint. Si vous clouez en biais, cela crée un effet de queue d'aronde et aide à mettre en place l'assemblage. Lorsque vous clouez contre une butée, réhaussez le cadre avec une chute pour faciliter l'opération.

7 Posez le second cadre avec pieds sur le sol et retournez l'assemblage à trois cadres de telle sorte qu'il soit posé sur le dessus (il est plus facile de le faire avec un assistant). Alignez les cadres sur pieds sur le sol, puis collez et clouez.

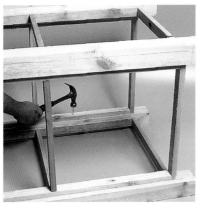

8 Une fois que la colle est sèche, retournez la caisse. Mesurez et coupez des encoches sur la base (C) pour la place des pieds. Collez sur les côtés inférieurs des cadres, là où la base sera placée.

9 Placez la base en contre-plaqué et clouez-la sur le dessous du cadre. Vous pourrez utiliser des vis si vous préférez, mais toutes ces opérations supplémentaires de perçage et fraisage augmentent le temps requis pour faire ces caisses et n'ajoutent que peu de solidité.

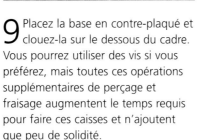

10 Enfin, coupez 4 pièces de contre-plaqué de 950 x 600 mm (24 x 38 po) : ce sera le revêtement pour les côtés de la caisse (D). Placez les pièces de revêtement à l'intérieur des cadres et clouez-les (fig.10.1). Notez que le revêtement est cloué au cadre et non aux pieds.

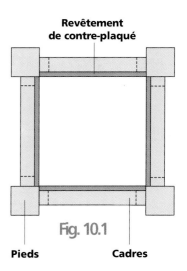

Revêtement de contre-plaqué

Fig. 10.1

Pieds　　　**Cadres**

MARQUEZ LES CHEVRONS DU BANC

Certaines opérations sont répétitives. Essayez de les effectuer à la suite pour gagner du temps et améliorer votre précision. Marquez les deux chevrons du banc à percer en même temps, en utilisant un morceau de bois coupé à la bonne largeur entre les centres des trous de perçage, pendant que vous calibrez.

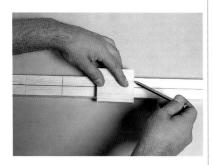

CACHER LES VIS DE FIXATION DES LATTES DE LA CAISSE

Si vous voulez éviter les enduits pour cacher les têtes des clous des lattes de la caisse, vous pouvez visser les lattes de l'intérieur. Il faudra le faire avant de fixer le revêtement intérieur de contre-plaqué, lorsque l'assemblage est encore peu solide, et cela peut occasionner quelques perçages difficiles.

11 Vous pouvez maintenant ajouter les panneaux latéraux de lattes. Vérifiez toutes les lattes et poncez celles aux angles bruts. Clouez les lattes sur les cadres, en utilisant des cales en bois pour les placer régulièrement et enfoncez les têtes avec un chasse-clou. Nous utilisons des cales de 10 mm (⅜ po), mais il vous faudra peut-être ajuster la dimension. Pour déterminer l'espace entre elles, placez les lattes – l'une contre l'autre – juste à côté d'un des pieds. Mesurez l'espace entre la dernière latte et l'autre pied et divisez par le nombre d'espaces requis (un de plus que le nombre de lattes). La réponse donnera l'épaisseur de la cale nécessaire.

13 Marquez un axe central sur l'une des faces des chevrons du banc (G). Calculez l'espace nécessaire entre les lattes du banc comme vous l'avez fait pour les lattes au numéro 11. Percez et masquez les trous sur les chevrons le long de l'axe central aux bons intervalles, pour que les lattes du banc soient réparties uniformément (voir à gauche).

14 Les lattes sont fixées aux chevrons par en-dessous, de telle sorte qu'aucune vis ou clou ne soit exposé à la pluie. En utilisant les cales pour garder le même espacement, vissez les chevrons aux lattes, en prenant soin qu'ils affleurent aux extrémités des lattes. Toute irrégularité pourra être poncée par la suite.

12 La bordure masque et protège l'extrémité des lattes. Placez les pièces de bordure (F) sur le dessus de la caisse, en alignant le bord intérieur avec le bord de la caisse et marquez la position de la coupe d'onglet sur l'intérieur et l'extérieur de chaque coin. Coupez les onglets des bordures (voir pages 20-21), puis collez et clouez au châssis, en enfonçant les têtes de clous avec un chasse-clou. La première caisse est maintenant terminée ; construisez la seconde de la même façon.

UNE BASE PLUS SOLIDE

Un gros volume de terre devient très lourd une fois que la terre est humide. Ajoutez un bloc de bois au centre pour un meilleur soutien de la base, et n'oubliez pas les trous de drainage de la caisse.

LE REVÊTEMENT DES CAISSES

Les caisses remplies de terre auront une durée de vie plus longue si vous protégez le revêtement intérieur en passant une couche de vernis au polyuréthane ou en revêtant les panneaux latéraux de feuilles de polyéthylène. N'oubliez pas les trous de drainage sur les feuilles du dessous.

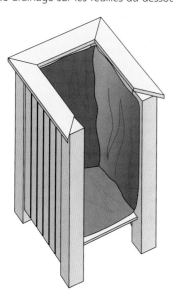

15 Alignez les rails du banc (I) qui servent à la fois à l'avant et à l'arrière pour que les parties inférieures et supérieures affleurent avec les lattes du banc. Serrez et vissez les chevrons du banc aux rails. Le banc devrait être maintenant assez robuste.

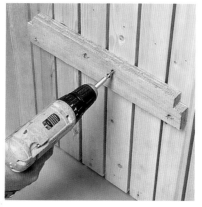

17 Le banc s'encastre bien sur le support quand les chevrons du siège sont logés dans les encoches. Fixez le siège aux caisses en vissant les supports de contre-plaqué à travers les rails avant et arrière.

16 Fabriquez les supports du banc (J) en collant les chutes de contre-plaqué de revêtement. Coupez des encoches aux deux coins supérieurs pour que les chevrons puissent prendre place sous les lattes du siège. Marquez sur les caisses à oranger la bonne hauteur pour le banc – 450 mm (18 po) est un bon point de départ, mais vous pouvez ensuite l'adapter à votre convenance. Percez et fraisez les supports, puis collez et vissez-les aux caisses.

18 Il est préférable de détacher le banc des caisses avant d'appliquer la couche de protection, de teinture et /ou de vernis. N'oubliez pas de nettoyer toutes les gouttes de colle séchées et de les poncer, sinon ces endroits resteraient sans vernis.

La jardinière avec fontaine

MATÉRIEL REQUIS

Panneaux intérieurs (A)
4 feuillets de bois tendre
de 660 x 184 x 19 mm (26 x 8 x 1 po)

Pieds d'angle (B)
4 sections de 230 x 89 x 89 mm
(9 x 4 x 4 po) de pieds de clôture

Panneaux extérieurs (C)
1 feuillet de bois tendre de 4270 mm
(14 pieds) x 184 x 19 mm (8 x 1 po)

Chapeaux de pieds (D)
4 sections de contre-plaqué marine
de 19 x 89 x 89 mm (¾ x 4 x 4 po)

Ornements (E)
4 ornements ou des boules sur pied

Quincaillerie et finitions
24 joints d'angle en plastique

1 équipement de bassin avec un réservoir,
une pompe et un robinet de fontaine

100 vis galvanisées ø 8 x 25 mm

Protection pour bois, peinture, teinture...

Outils
La trousse à outils de base avec en plus un
foret à trois pointes assez large pour faire
les trous des boules sur pied

Cette jardinière modulable est facile et rapide à construire. C'est un complément agréable dans un patio et cela peut être aussi remarquable sous une véranda ou dans un jardin d'hiver.

Comme le bac sera en contact avec l'eau, toutes les surfaces devront être traitées avec une protection pour bois, surtout les extrémités. Vous pourrez aussi le peindre de la couleur de votre choix et le recouvrir de plusieurs couches de vernis au polyuréthane. Si vous prévoyez de placer votre jardinière à l'intérieur, une base imperméable sera ajoutée pour contenir la terre.

▶ *Cette fontaine se compose de galets et de petits bouquets de mauves en fleurs. La réalisation finale est à la fois pleine de vie et de sons.*

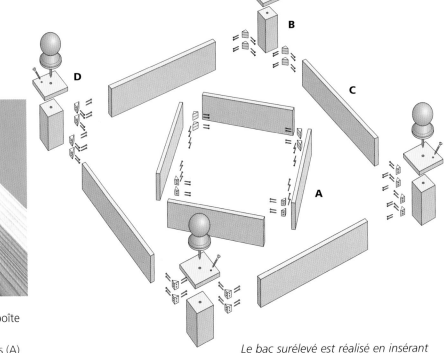

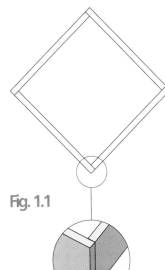

Fig. 1.1

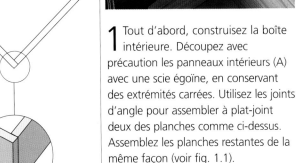

1 Tout d'abord, construisez la boîte intérieure. Découpez avec précaution les panneaux intérieurs (A) avec une scie égoïne, en conservant des extrémités carrées. Utilisez les joints d'angle pour assembler à plat-joint deux des planches comme ci-dessus. Assemblez les planches restantes de la même façon (voir fig. 1.1).

Le bac surélevé est réalisé en insérant une petite boîte en diagonale à l'intérieur d'une plus grande boîte, avec une fontaine érigée au centre de la petite boîte.

3 Coupez le pied de clôture avec une scie égoïne pour faire les pieds d'angle (B). Mesurez et marquez l'emplacement des joints d'angle et vissez quatre joints par pied.

4 Mesurez, marquez et coupez les côtés de la boîte extérieure (C) avec la scie égoïne. Vissez les côtés aux piquets d'angle, en prenant soin que les bases soient bien perpendiculaires au sol.

2 Mesurez la diagonale de la petite boîte. Cela vous donne la longueur des quatre côtés de la boîte extérieure. Soustrayez 50 mm (2po) pour les pieds de coin (voir fig. 2.1).

Fig. 2.1

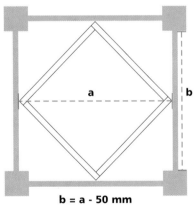

b = a - 50 mm

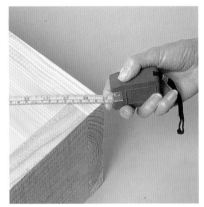

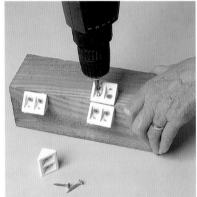

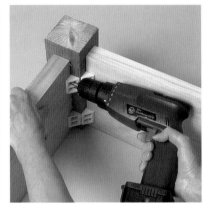

5 Marquez le centre de chaque piquet d'angle en dessinant des diagonales. Percez un avant-trou pour la vis de tête de piquet, là où les diagonales se croisent.

6 Percez des trous pour les têtes de piquet dans les chapeaux de piquet avec un foret à trois pointes. Les têtes de piquet n'ont pas toutes la même forme, c'est pourquoi vous adapterez le foret au trou à réaliser. Après avoir aligné les deux pièces grâce aux avant-trous, fixez les chapeaux en haut des piquets de coin avec des petites vis qui seront excentrées.

POUR FAIRE VOTRE PROPRE BASSIN DE JARDIN

Recouvrez la petite boîte avec une bâche pour bassin maintenue en place par des languettes de bois tendre d'une section de 19 x 19 mm (1 x 1po) vissées sur les bords intérieurs à peu près à 50 mm (2 po) en partant du bord supérieur. Cela deviendra le réservoir.

Placez une pompe immergée à faible voltage au centre sur le support du réservoir. Percez un trou pour le cordon, faites-le passer et scellez avec un joint de silicone.

Fermez le réservoir avec des languettes de 38 x 19 mm (2 x 1 po) en laissant un espace de 25 mm (1 po) entre chaque languette pour que l'eau puisse s'écouler. Placez la sortie de la pompe entre deux languettes et fixez le robinet de fontaine. Décorez avec des plantes et des galets.

7 Placez les têtes de piquet (E) dans les avant-trous et vissez-les fermement. Mettez la petite boîte dans la grande boîte, en diagonale.

9 Vous trouverez peut-être plus économique d'acheter un bassin tout prêt plutôt que d'acheter une pompe. Dans ce cas, placez le réservoir en plastique, la pompe et le couvercle au centre de la boîte, percez un trou pour le cordon et scellez avec un joint de silicone.

8 Vous voudrez peut-être visser les boîtes ensemble, mais à proprement parlé cela n'est pas nécessaire, car le poids de leur contenu les empêchera de se décaler.

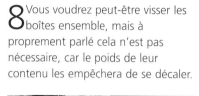

10 Remplissez le réservoir d'eau, recouvrez avec des pierres et branchez la pompe. Si vous préférez choisir un pot d'où l'eau déborde, alors percez simplement un trou de la même taille que la vidange de la pompe au fond du pot, poussez la vidange en plastique à travers le trou et scellez avec du silicone. Remplissez la boîte extérieure avec de la terre et placez les plantes pour compléter l'arrangement.

LES PLANTATIONS ÉTUDIÉES

POUR L'OMBRE

Les stores et parasols aident à ombrager les salons de jardin, mais vous pouvez aussi planter des plantes grimpantes et des arbres qui procureront de l'ombre.

Catalpa commun
(Catalpa bignonioides)

Cerisier
(Prunus)

Érable gris de Chine
(Acer griseum)

Eucalyptus
(Eucalyptus spp.)

Glycine *(Wisteria spp.)*

Eucalyptus

Noisetier de Byzance *(Corylus colurna)*

Saule pleureur *(Salix babylonica)*

Vignes variées

Vigne vierge *(Parthenocissus quinquefolia)*

LES PLANTES AROMATIQUES

Les plantes aromatiques sont des plantes fantastiques dans tout jardin, balcon ou patio car elles sont à la fois plaisantes et utiles. Vous n'aurez pas besoin d'en planter beaucoup pour ajouter du piquant à vos plats.

Ail *(Allium satium)*

Basilic
(Ocinum basilicum)

Cerfeuil
(Anthriscus cerefolium)

Fenouil
(Foeniculum vulgare)

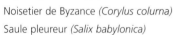
Basilic

Mélisse *(Melissa officinalis)*

Menthe verte *(mentha spicata)*

Origan *(Origanum heracleoticum)*

◄ *Cet ensemble de chaises pliantes associe élégance et fonctionnalité. Les courbes subtiles de la table et des chaises sont un excellent choix pour cet étang avec des nénuphars.*

Chaises et tables

Se rafraîchir et déjeuner sous une vigne avec la lumière du soleil tamisée par ses feuilles est une idée terriblement tentante. Vous avez juste besoin de quelques chaises, d'une table, peut-être d'un endroit frais pour les boissons et d'une table roulante pour apporter les rafraîchissements de la cuisine. L'étendue des modèles est si vaste que vous pourrez accommoder divers styles de jardin avec des meubles que vous aurez achetés ou fabriqués.

CHOISIR DES MEUBLES DE JARDIN

Les meubles de jardin sont proposés dans tous les styles, matériaux et prix. Les chaises longues offrent une approche décontractée de la vie au jardin, tandis que les bancs Lutyens (voir photographie page 60) apportent un certain formalisme classique. Portez votre attention sur la facilité de déplacement des meubles, leur pérennité et leur entretien ainsi que la forme et la taille qui conviennent à vos besoins.

- Vos meubles seront-ils sur une pelouse ou un espace pavé ? Les meubles très lourds, en bois dur, peuvent être difficiles à déplacer lorsque vous tondez la pelouse ; les chaises légères, que l'on peut empiler, seront peut-être plus pratiques pour déjeuner sur l'herbe. Les meubles peuvent s'enfoncer sur une pelouse humide si les pieds sont trop fins.

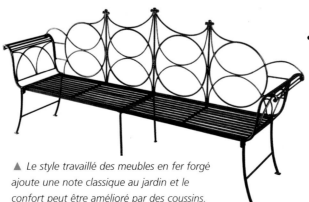
▲ *Le style travaillé des meubles en fer forgé ajoute une note classique au jardin et le confort peut être amélioré par des coussins.*

- Avez-vous l'intention de laisser les meubles dehors toute l'année ? Est-ce une question de valeur ? Les tables lourdes et les bancs réalisés en bois imputrescible résistent bien à l'extérieur, nécessitent peu d'entretien et sont plus difficiles à voler. Les meubles en métal doivent être peints pour durer longtemps et se détériorent facilement s'ils sont mal conçus. Les meubles légers en aluminium sont plus résistants à l'eau, mais parfois ne sont pas très solides.

- Aimez-vous le changement ? Acheter deux petites tables est une bonne solution car vous pourrez les disposer séparément dans votre jardin ou les réunir pour vos soirées. Les bancs sont plus difficiles à déplacer que les chaises individuelles, mais ils plaisent davantage que les chaises. Les bancs sans dossier sont pratiques pour les repas des enfants. Les tables rectangulaires sont les plus efficaces en termes d'espace mais moins conviviales que les tables rondes.

- Êtes-vous concerné par le développement durable et par les matériaux de vos meubles ? Les meubles de jardin sont souvent réalisés avec des bois durs tropicaux. Il est parfois difficile de trouver la provenance de ces bois. Recherchez les bois issus des programmes certifiés. D'autres solutions sont le bambou ou le rotin, tous deux poussant comme du chiendent, ce qui favorise également la repousse et le remplacement des arbres.

Matériaux

Choisir des chaises et des tables de jardin est souvent limité par le budget, bien que les styles en fer forgé ou en bois soient différents et offrent des effets variés dans le jardin. Heureusement il existe un éventail de prix dans ces deux matériaux, largement déterminés par leur qualité et leur facture.

LE BOIS

Polyvalent, naturel et solide, le bois reste le matériau le plus couru pour les chaises et les tables de jardin. Le teck est exotique et de longue durée, le cèdre est plus tendre mais reste solide et le pin qui est peu cher et facile à travailler est le matériau le plus intéressant pour les créations à faire soi-même. Vous pourrez trouver des alternatives venant du monde entier à des prix et des qualités variées, mais pour une longue vie à l'extérieur, recherchez du bois naturellement huileux ou résineux comme le teck ou le cèdre à moins que vous ne prévoyiez de les protéger avec de la peinture ou du vernis.

Vous pouvez modeler le bois dans un style classique ou contemporain ; les styles caractéristiques Adirondack et colonial résument bien la polyvalence des matériaux. De plus en plus les designers mélangent le bois et le métal, en particulier l'aluminium brossé, pour des meubles d'extérieur convenant en ville ou dans les jardins de banlieue. Vous utiliserez peut-être des rondins ou des bois de grève pour donner un aspect plus rustique ou pour intégrer un peu de nature sauvage à la ville.

Les fauteuils à lattes sont un bon choix et sont les plus confortables, surtout si les lattes sont arrondies et

◀ *Cette table en bois avec des chaises sont aisément transportables ; vous pourrez ainsi profiter de tout votre jardin, des endroits retirés aux pelouses baignées de soleil.*

◀ ▲ *Les chaises pliables (à gauche) sont un choix dicté par la fonctionnalité qui ne vous oblige pas à faire des concessions sur le style. Les chaises Adirondack avec leur repose-pieds (ci-dessus) sont un choix modulable qui vous permet soit de vous asseoir soit de vous allonger.*

assez fines pour avoir un petit jeu. Vous aurez besoin de coussins pour les fauteuils les plus durs. Remarquez que le bois se détériore vite s'il reste en contact avec l'eau.

Les meubles de jardin sont souvent huilés ou vernis. Vernir donne un effet brillant et une bonne protection mais avec le temps la surface du vernis peut se fendiller et craqueler. Cela peut être réparé seulement en ponçant et en repassant une couche de vernis. Une finition à l'huile se construit graduellement et vous protègerez votre meuble en le huilant chaque année, en faisant pénétrer l'huile dans le bois à l'aide d'un chiffon à récurer en nylon. Vous pourrez aussi laisser vieillir le bois, avec des craquelures apparentes.

▲ Les chaises que l'on empile remplacent avantageusement celles que l'on plie. Le cadre en métal se détériore moins vite.

▲ ▶ La chaise longue (ci-dessus) est remarquable. Elle se plie pour un rangement facile. Si vous avez un arbre dans votre jardin, installez un banc autour (à droite) pour profiter de l'ombrage naturel.

▼ Les gros meubles comme ce banc sont difficiles à bouger. Il faut qu'ils soient assez résistants pour supporter l'hiver. Choisissez un bois résistant et conservez-le avec de l'huile ou du vernis.

LE FER FORGÉ

Le fer forgé peut faire un heureux changement dans le jardin. Sa résistance naturelle permet des modèles aux lignes plus fines, par rapport aux formes et aux profils robustes du bois. Vous aurez l'opportunité de mélanger les matériaux, en ajoutant de la toile, des coussins pour plus de confort.

Le fer forgé est le métal le plus communément utilisé pour les meubles d'extérieur. C'est un matériau facile à produire et bon marché. Il peut être assemblé chez soi avec peu d'outils. Mais sachez que ces installations simples se déforment souvent avec le temps et les tables et chaises en fer forgé peuvent devenir instables. D'une certaine façon vous serez gagnant à investir dans des meubles soudés qui durent plus longtemps.

Au fil du temps, vous aurez besoin de peindre le fer et les meubles en acier non inoxydable pour limiter la rouille. Les extrémités rouillées peuvent devenir très coupantes. Les meubles en tube d'acier rouillent vite, surtout si les semelles de plastique se décrochent. Une solution est de remplir les extrémités des tubes avec des cônes de bois. L'aluminium est un bon choix pour les meubles de jardin car il ne rouille pas. Quand il est peint en couleur métallisée ou d'une autre couleur, il peut être charmant et pas trop cher non plus.

▼ Le fer forgé a le charme rustique du bois sans en avoir le profil encombrant caractéristique. Ce banc a été peint en vert pour se fondre avec le lieu.

▲ ▼ ▶ La résistance et la flexibilité du métal comme le fer forgé et l'acier permettent de les décliner dans de très nombreux modèles de meubles de jardin.

◄▼ Les modèles ornés et délicats comme cette causeuse (à gauche) stimulent toujours l'imagination d'un grand nombre. Le fer forgé est souvent associé à la mosaïque pour créer des tables colorées et insolites (ci-dessous).

▼ Les modèles contemporains comme cette chaise en aluminium deviennent de plus en plus recherchés.

DIMENSIONS, FORMES ET AGENCEMENT

Choisir la dimension et la forme d'une table de jardin correspondant à vos attentes dépend des réponses apportées aux questions décisives suivantes.

Q Quelle forme pour dîner dehors ?

R Cela dépendra de la forme et de l'espace réservé aux repas et du nombre de personnes invitées. Les tables rectangulaires, avec un convive à chaque bout et deux ou trois sur les côtés sont les plus pratiques. Les tables rondes sont plus accueillantes car tout le monde est en vis-à-vis mais elles perdent de l'espace. Les tables ovales associent certaines des qualités des tables rondes et rectangulaires, mais les tables en ellipse sont encore préférables, longues, fines avec des courbes douces qui se resserrent sur les côtés. Cependant ces tables sont les plus chères à fabriquer et sont souvent introuvables.

Q Quelle dimension ?

R En moyenne, une table rectangulaire pour 8 personnes fait 215 cm (86 po) de long et 90 cm (36 po) de large. 6 personnes peuvent s'asseoir autour d'une table de largeur similaire, mais avec seulement 165 cm (66 po) de long. Vous prendrez une table de 125 cm de diamètre pour une table ronde de 6 personnes, 135 cm (54 po) pour 7 personnes, et 155 cm (62 po) pour 8 personnes. Gardez une marge de 60 cm (24 po) à 65 cm (26 po) par personne pour déterminer la taille d'une table ovale ou elliptique.

Q Quelle hauteur pour la table à manger ?

R La hauteur de la table sera déterminée par vos chaises. La hauteur moyenne des tables est de 72,5 cm (29 po), environ 27,5 cm (11 po) plus haute que la hauteur moyenne des chaises. Vous aurez besoin d'au moins 15 cm (6 po) pour vos jambes entre la hauteur de la chaise et la jupe du dessus de table. Les chaises et tables plus petites ont tendance à donner un air plus décontracté. Vous pourrez utiliser ces mêmes chaises ou bancs autour d'une plus petite table à café.

◄▼ Cette chaise (à gauche) a l'air d'être en osier mais elle est faite en fibres naturelles douces au toucher, qui n'accrocheront pas vos vêtements. Le tissage élaboré du siège de cette chaise est équilibré par l'armature sculpturale en rotin.

LE ROTIN, LE BAMBOU ET L'OSIER

Ces alternatives légères du bois – le rotin, le bambou et l'osier – sont des matériaux naturels, récoltés de manière écologique. Ils sont confortables et économiques, mais peu solides. Les meubles réalisés avec ces matériaux durent plus longtemps lorsqu'ils ne sont pas exposés aux intempéries. Le problème ne réside pas vraiment dans les matériaux eux-mêmes mais dans la difficulté d'assembler ces éléments. Le bambou est le plus robuste. Le rotin, une sorte de jonc qui pousse généralement en Asie du Sud-Est peut devenir fragile et cassant. La même chose peut advenir avec l'osier, qui est fait à partir de fines tiges de saule. La légèreté en revanche est un avantage de taille si vous désirez changer ces meubles de place et par exemple les rentrer à l'intérieur en fin de journée. Ces matériaux sont très élastiques et craquent fréquemment lorsque vous vous asseyez.

◄► Une simple armature de banc en joncs (à gauche) peut être améliorée par des coussins. La chaise longue classique de terrasse (à droite) garde ses atouts dans la collection des meubles de jardin. Elle est simple, confortable, facile à ranger et vous pourrez l'adapter à votre goût en changeant le tissu.

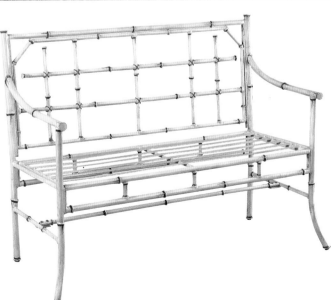

UN BANC POUR TOUTES LES SAISONS

Un banc, en fer forgé ou en bois, utilisé seul ou à côté d'une table à manger ou à café, est un classique dans le jardin. Raccourci il devient une chaise pour dîner, avec ou sans accoudoirs. Disponible dans de nombreux styles, il est probable qu'il soit similaire à ceux de votre intérieur. Le banc classique pourra être modifié par la suite en ajoutant des courbes douces aux accoudoirs ou en intégrant des courbes plus vives pour une causeuse. Assemblé en couple il peut devenir un banc circulaire. Sans dossier, le banc devient une chaise allongée, idéale pour un côté de table à manger. D'autres bancs servent aux pique-niques ou sont réservés pour les enfants, mais ils ont tendance à être assez lourds et difficiles à bouger.

Les chaises Adirondack, l'un des styles les plus particuliers des meubles de jardin, sont souvent réalisés en cèdre, avec un dossier en éventail. On les appelle souvent des fauteuils bas. Ils sont devenus populaires grâce à leur style décontracté et leur grande compatibilité avec de nombreux paysages – de la véranda au lac. Ils offrent un bon contraste avec les chaises verticales de metteur en scène. Replier les chaises est une bonne solution si vous décidez de ne pas laisser vos meubles dehors toute l'année. Celles-ci peuvent être empilées dans un coin, rangées dans une boîte ou utilisées à l'intérieur. Sur les bateaux de croisière, le modèle pliable classique du transat, composé de lattes de bois, est une chaise longue basse rêvée pour les longues journées paresseuses en mer.

Les chaises longues sont en bois ou dans une étoffe douce sur un cadre de métal, de plastique ou de bois. Les transats en bois dur ont l'air formidable mais sont assez lourds à déplacer et peu confortables sans coussins. Avant d'acheter, essayez de trouver celle qui vous convient parfaitement, à la fois dans la forme et le confort.

▼ ▶ Les transats avec des repose-pieds (à droite) sont une adaptation de la chaise longue de ponton. Leur utilisation sur les bateaux à vapeur, le siècle dernier; leur donne un aspect romantique qui séduit énormément. Ces bancs sont fixés à la table (en bas à droite) pour diminuer le risque de vol.

◀ ▶ Une variation torsadée de ce banc classique donne cette pièce unique (à gauche). Les bancs (à droite) offrent plus de places assises que les chaises, c'est pourquoi on les préfère pour les tables à manger.

LES STYLES MILLÉSIMÉS

Les meubles de jardin peuvent coûter cher. Une solution est de les acheter d'occasion et de les restaurer. À cause des conditions d'extérieur, peu d'entre eux sont vendus en occasion. Cependant, restaurer est assez facile si vous trouvez un meuble qui vous plaît. Retirez la peinture des cadres en métal à l'aide de produits chimiques ou d'une meuleuse et poncez avec de la laine de verre. Appliquez un revêtement anti-rouille avant la dernière couche. Rafraîchissez le bois naturel en le frottant avec un chiffon à récurer en nylon et de l'huile. Retirez la peinture avec des produits chimiques plutôt qu'avec des abrasifs, qui ont tendance à retirer toutes les bosses et les « bleus » intéressants. Mélangez le neuf et l'occasion pour

▼ ▶ Un banc Lutyens aux courbes élégantes (à droite) crée un coin plaisant devant ce mur. Si vous rechignez à transporter les boissons pendant votre bain de soleil, investissez dans un réfrigérateur ou une glacière, camouflés dans un coffre en bois (ci-dessous).

introduire un petit air de nostalgie dans votre jardin. Les transats et chaises Adirondack ont été populaires pendant des décennies et, parce qu'ils sont fait de lattes de bois, ils sont facilement réparables.

Avec leurs dossiers incurvés complexes, les bancs en bois Lutyens sont plus ouvragés. Les tables de café en métal, dans les styles français et victorien font un bel effet dans un coin de terrasse ou sous les branches tombantes d'un arbre bien choisi. Les lignes délicates des tables en métal vieux et fin les rendent moins ostensibles que les tables en bois. Même si leur style est formel, les formes en feuilles sont un complément surprenant pour un décor naturel.

PROTÉGEZ VOS MEUBLES

Les meubles d'extérieur sont très prisés par les voleurs. Les tables, chaises et bancs sont plus difficiles à déplacer, même s'ils ne découragent pas les criminels les plus ambitieux.

Ancrer les meubles au sol avec des taquets peut aider, mais votre fournisseur pourra vous proposer différentes solutions. Rentrer les meubles à l'intérieur, les ranger dans une remise ou un coffre les protègent également du mauvais temps. Si les conditions climatiques sont votre seul souci, pensez aux housses individuelles. Essayez de conserver une certaine aération pour éviter la condensation.

APPORTER LES REPAS À TABLE

Inévitablement vous aurez besoin d'apporter des repas et des boissons sur votre table de jardin, même pour un simple barbecue. Les plateaux sont très pratiques, surtout si vous achetez une table-plateau de telle sorte que vous n'aurez pas besoin de tout

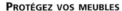

◀ ▲ Vous protègerez peut-être vos meubles du vol et du mauvais temps. Vous pourrez les fixer au sol avec des taquets (à gauche) et les recouvrir d'une housse pour le vent et la pluie (ci-dessus).

enlever de la table lorsque vous arriverez avec les bols et les rafraîchissements. Une table-plateau est facile à construire avec deux sections de bois en X assemblées par des sangles croisées et des traverses.

Une table roulante est très pratique. Pour conserver les boissons fraîches à l'extérieur, vous pouvez utiliser une glacière décorative. Achetez un parasol pour que tout le monde soit à l'ombre. Choisissez un modèle qui puisse tenir dans le trou de la table ou sur un bloc. Il existe aussi des modèles de parasols reproduisant une grue qui se suspendent au bout d'un bras extensible.

▲ Si vous n'avez pas d'arbre bien situé sous lequel placer votre table à manger, optez pour un parasol qui pourra s'insérer dans le trou au milieu de la table.

▶ Une table roulante est un excellent achat, pour transporter la nourriture et les boissons.

COMPARATIF DES DIFFÉRENTS MATÉRIAUX

Caractéristiques	Teck	Cèdre	Chêne	Pin	Fer forgé	Aluminium	Acier	Toile/étoffe
Solidité	Bonne	Correcte	Correcte mais craint le contact du métal et de l'eau ; nécessite une finition	Faible ; doit être peint ou verni	Bonne mais doit être repeint. Les jointures peuvent se détériorer	Bonne	Nécessite une protection	Les toiles s'abîmeront si elles restent humides. Les tissus synthétiques résistent bien
Poids	Lourd	Léger	Moyen	Léger	Peut être lourd, cela dépend des dimensions et de la forme.	Léger	Lourd	Léger
Apparence	Solide; couleur miel, grise en vieillissant; peu confortable	Couleur miel clair, grise en vieillissant ; le grain large et souple donne du confort	Belle matière, grise rapidement ; petites fissures apparaissent avec le temps	Bonne pour la peinture ; Les nœuds doivent être recouverts de laque	Allure classique qui contraste avec les terrasses en bois et s'intègre dans le milieu naturel	Parfait pour un style contemporain ; grande variété de choix	Modèles fait main fabuleux	Belles couleurs et patrons ; généralement maintenue avec un cadre en bois ou en métal
Coût	Élevé	Moyen	Moyen	Faible	Faible à moyen	Moyen à élevé	Moyen à élevé	Faible

Le banc circulaire

Sous un ciel pommelé, un banc circulaire construit autour de l'arbre favori offre une place agréable pour s'asseoir, tandis qu'il donne une forme au tronc et apporte un agencement particulier au jardin.

Cette pièce est facile à réaliser et peut être adaptée pour chaque taille d'arbre, du petit cerisier en fleurs au chêne puissant. Un gros arbre nécessitera une plus grande quantité de bois mais la plupart d'entre nous auront une idée plus modeste en tête. Le principal est que l'idée – un banc modulable construit en six parties – reste la même, quelle que soit la taille de l'arbre.

▶ *Avec sa géométrie plaisante, ce banc réalise un attrayant agencement de jardin et un endroit confortable pour s'asseoir, permettant d'avoir des vues de tout le jardin.*

Les angles réalisés dans l'hexagone sont montrés dans le diagramme ci-dessus. Laissez une marge entre 150 et 300 mm (6 et 12 po) entre l'écorce du tronc et le bord intérieur du banc.

Pour calculer la taille du banc, dessinez l'envergure de l'arbre, montrant le diamètre du tronc, avec six lignes rayonnant à égale distance du centre. Marquez un point à 150-300 mm (6-12 po) de l'écorce de l'arbre. Choisissez une hauteur confortable pour s'asseoir. Trop éloigné, le banc laisse trop de marge, trop prêt, il ne laisse pas l'arbre croître. Juste bien signifie que vous pourrez vous adosser au tronc.

Les mesures prises ici correspondent à un arbre qui fait environ 530 mm (21 po) de diamètre. Elles laissent une marge de 150-300 mm (6-12 po) entre le tronc et l'intérieur du banc, ce qui signifie que l'intérieur de chaque section fait aussi environ 530 mm (21 po) de long.

1 Marquez la position des traverses inférieures (B) sur chaque pied (A). Celles-ci doivent être placées à 100 mm (4 po) du dessous de chaque pied. Marquez aussi la position des supports du banc (C) qui seront fixés à fleur avec le dessus de chaque pied.

2 Percez et fraisez les traverses inférieures et vissez-les sur les pieds. Les pieds doivent être fixés à 150 mm (6 po) de distance. Fixez-les sur un côté pendant que vous préparez les supports du banc.

3 Réglez une fausse équerre sur 30 degrés et marquez une extrémité de chaque support du banc (C). En faisant des angles sur les extrémités des supports vous obtiendrez un résultat plus net à l'avant et à l'arrière.

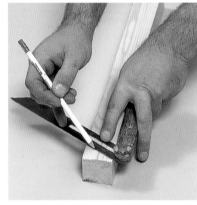

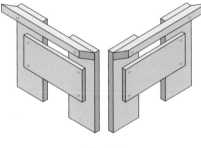

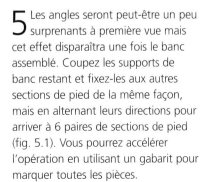

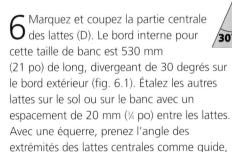

Fig. 5.1

4 Coupez l'angle et positionnez le support du banc sur la section assemblée avec le pied pour déterminer la longueur du support et l'emplacement de l'autre coupe d'angle. Utilisez la fausse équerre pour être sûr que l'angle est parallèle à celui qui se trouve de l'autre côté.

5 Les angles seront peut-être un peu surprenants à première vue mais cet effet disparaîtra une fois le banc assemblé. Coupez les supports de banc restant et fixez-les aux autres sections de pied de la même façon, mais en alternant leurs directions pour arriver à 6 paires de sections de pied (fig. 5.1). Vous pourrez accélérer l'opération en utilisant un gabarit pour marquer toutes les pièces.

6 Marquez et coupez la partie centrale des lattes (D). Le bord interne pour cette taille de banc est 530 mm (21 po) de long, divergeant de 30 degrés sur le bord extérieur (fig. 6.1). Étalez les autres lattes sur le sol ou sur le banc avec un espacement de 20 mm (¾ po) entre les lattes. Avec une équerre, prenez l'angle des extrémités des lattes centrales comme guide, marquez l'angle de coupe sur les lattes restantes. Coupez à la dimension.

530 mm (21 po)

30°

Fig. 6.1

AJOUTER UN DOSSIER

Les amateurs avec un peu plus d'expérience auront peut-être envie d'ajouter un dossier à leur banc. C'est une affaire compliquée car la pente du dossier donne des angles composés épineux ! Vous aurez besoin d'une scie circulaire pour les grands onglets et d'une bonne connaissance en menuiserie pour les réaliser.

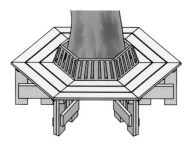

CONSOLIDER PAR UNE TABLETTE

Une tablette est un élément utile pour un banc et comporte l'avantage supplémentaire d'accroître la solidité structurelle du banc. Mesurez et coupez des lattes de banc supplémentaires et vissez-les sur quelques-unes ou sur toutes les traverses inférieures. Pour éviter des opérations de perçage difficiles, il vaut mieux les fixer avant que les lattes du banc ne soient collées et vissées.

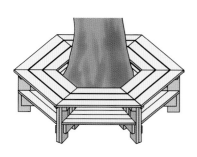

7 Disposez les lattes coupées sur les pieds, en les espaçant de 20 mm (¾ po), et en marquant les positions pour les trous de perçage. Percez les trous pour les vis et chanfreinez pour les bouchons. Vissez et collez les lattes du banc sur les supports et collez les bouchons.

9 Placez les sections en position autour de l'arbre et enlevez toute aspérité du sol pour que les sections s'alignent correctement. Assemblez le banc en serrant les pieds deux par deux. Vissez avec 4 vis de 75 mm (3 po), une sur le dessus, une sur le dessous de chaque intérieur et extérieur de pied. Continuez en tournant jusqu'à ce que toutes les sections soient assemblées (fig. 9.1).

8 Nettoyez la surface des lattes et des bouchons avec une ponceuse électrique et les angles pointus extérieurs des lattes en rabotant. Répétez l'assemblage et le nettoyage pour les six sections du banc. Appliquez la finition de votre choix.

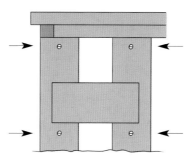

10 Coupez 6 piquets de 300 mm (12 po) à partir du bois tendre traité (E). Ils ressemblent à des piquets de tente. Utilisez-les pour fixer le banc en les calant contre les pieds. Enfoncez chaque piquet de 200 mm (8 po) dans le sol avec un marteau, puis vissez-le au pied (fig. 10.1).

Fig. 9.1

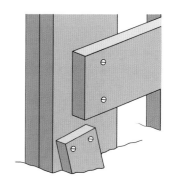

Fig. 10.1

La chaise simple

MATÉRIEL REQUIS

Pieds (A)
2 tasseaux de bois tendre
pour les pieds arrière
de 965 x 57 x 57 mm (38 x 3 x 3 po)

2 tasseaux de bois tendre
pour les pieds avant
de 598 x 57 x 57 mm (23½ x 3 x 3 po)

Cadre (B)
2 planches de bois tendre
pour les panneaux avant et arrière
de 650 x 140 x 19 mm (25⅝ x 6 x 1 po)

2 planches de bois tendre
pour les panneaux latéraux
de 550 x 140 x 19 mm (21⅝ x 6 x 1 po)

Robe (C)
2 planches de bois tendre
pour les panneaux avant et arrière
de 550 x 140 x 19 mm (21⅞ x 6 x 1 po)

2 planches de bois tendre
pour les panneaux latéraux
de 450 x 140 x 19 mm (17⅞ x 6 x 1 po)

Assise et dossier (D)
6 planches de bois tendre
de 715 x 184 x 19 mm (28½ x 8 x 1 po)

Accoudoirs (E)
2 planches de bois tendre
de 550 x 140 x 19 mm (22 x 6 x 1 po)

Vis et finitions
34 vis galvanisées ø 8 x 40 mm (1½ po)
pour planchettes et accoudoirs

16 vis galvanisées ø 10 x 50 mm (2 po)
pour les rails du sous-cadre

34 bouchons ø13 mm (½ po), longueur

16 clous galvanisés de finition
pour les rails latéraux

Colle à bois pour extérieur

Protection du bois, peinture, lazure, vernis

Outils
Outillage de base avec ciseau à bois
de 18 mm (¾ po), maillet et scie

Les menuisiers considèrent la chaise comme une des réalisations les plus difficiles : elle doit être solide autant que jolie, avec des assemblages complexes. La solidité est particulièrement importante pour les meubles d'extérieur du fait des variations permanentes de température et d'humidité, ainsi que de leur utilisation sur des terrains incertains. Cette chaise a des accoudoirs plats et un dossier légèrement incliné pour assurer son confort. Elle est à la fois plaisante et robuste, avec une solidité qui contraste agréablement avec le fond naturel d'un jardin ou agrémente un environnement plus contemporain. Notez comme ses pieds coniques allègent l'ensemble sans rien lui enlever de sa résistance.

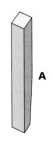

À la différence de la plupart des chaises de jardin, cette création est relativement simple à réaliser. Elle ne requiert pas de jointures compliquées ou d'outils spécialisés. Comme la table basse page 72, elle est construite autour d'un sous-cadre.

1 Coupez les pieds avant et arrière aux mesures (A). Mesurez 255 mm (10 po) en partant du bas des pieds et faites une marque. Ce sera la position des rails du sous-cadre (B). Assurez-vous que la distance sous le rail est la même sur les pieds avant et arrière.

▶ *Robuste mais élégante, cette chaise accommodera aussi aisément une terrasse pavée près de la maison qu'un sentier boisé ou une pelouse.*

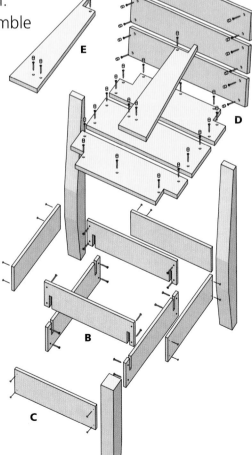

2 Faites une marque à 45 mm (1⅞ po) d'un bord sous le pied. Tracez une ligne entre cette marque et la marque des rails du sous-cadre afin de délimiter le profil du pied. À l'aide d'une équerre, répétez la ligne sur le côté opposé. Enlevez l'excès de bois à l'aide d'une scie égoïne ou plus simplement d'une scie circulaire. Répétez l'opération sur les 3 autres pieds. Maintenant, marquez un profil similaire pour l'inclinaison du dossier sur la partie haute des pieds arrière. Cette fois le profil a une hauteur de 570 mm (22½ po), et une épaisseur de 45 mm (1⅞ po) en haut du pied. Affinez les parties découpées à l'aide d'un rabot ou de papier de verre.

3 La partie intérieure des pieds est vissée au sous-cadre pour donner de la rigidité. Pour réaliser le sous-cadre, utilisez des serre-joints comme pour le colombier (page 140). Les rails du sous cadre chevauchent les pieds sur environ 45 mm (1⅞ po). Serrez les rails avant et arrière ensemble afin de marquer la zone de chevauchement.

4 Utilisez un des rails pour marquer la largeur de coupe sur une paire de rails. Faire descendre une ligne jusqu'à la moitié de la largeur d'un rail. Répétez cette opération pour les autres rails. Marquer et couper les joints ensemble garantit qu'ils auront tous la même position.

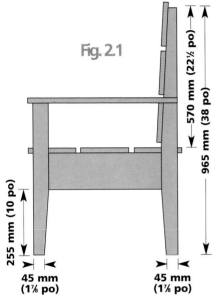

Fig. 2.1

570 mm (22½ po)

965 mm (38 po)

255 mm (10 po)

45 mm (1⅞ po)

45 mm (1⅞ po)

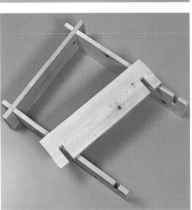

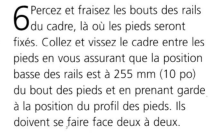

5 Utilisez une scie égoïne pour couper les joints. Faites sauter les restes à l'aide d'un ciseau à bois. Une fois les quatre pièces assemblées, la construction sera solide.

6 Percez et fraisez les bouts des rails du cadre, là où les pieds seront fixés. Collez et vissez le cadre entre les pieds en vous assurant que la position basse des rails est à 255 mm (10 po) du bout des pieds et en prenant garde à la position du profil des pieds. Ils doivent se faire face deux à deux.

PROFILS

Il est possible d'alléger le meuble davantage en profilant les deux côtés intérieurs des pieds, de façon à ce que le profil soit visible tant de face que de côté. Pour plus d'effet encore, vous pourriez acheter des billes de bois et les visser au bout des pieds.

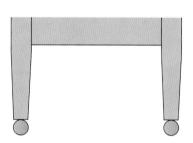

7 Une fois que la colle a bien pris, en général après une nuit, ajoutez le panneau avant. Collez-les et vissez-les aux extrémités du cadre afin de cacher le cadre et de donner un volume à la chaise.

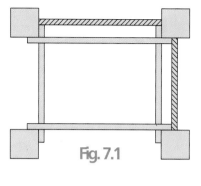

Fig. 7.1

8 Laissez la colle prendre une nuit et attachez alors les panneaux de l'assise au cadre. Il faudra découper les panneaux avant et arrière pour qu'ils entourent les pieds. Pour marquer les largeurs de coupe, placez les panneaux avant et arrière sur le cadre et utilisez les pieds comme guide.

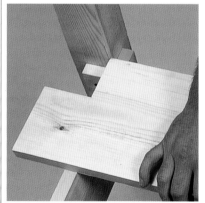

9 Marquez dans chaque coin un carré de 82 mm (3¼ po). Coupez-le alors avec une scie égoïne, en prenant garde de couper à l'extérieur de la ligne. Vérifiez la découpe au fur et à mesure. Notez que les panneaux avant et arrière dépassent des pieds de 20 mm (¾ po) environ dans les deux directions.

10 Une fois les panneaux avant et arrière de l'assise en place, insérez le panneau central pour que les écartements soient identiques. Vérifiez qu'ils sont bien droits, et utilisez une équerre pour marquer les limites du cadre extérieur en-dessous. En utilisant ces marques, préparez les trous pour visser les panneaux sur le cadre. Fraisez les trous pour cacher les vis de 13 mm au maximum.

ÊTES-VOUS CONFORTABLEMENT ASSIS ?

Vous aurez besoin d'un ou plusieurs coussins pour rendre l'assise confortable. Une autre solution est de donner une courbe à l'assise. Pour cela, coupez en courbe la partie supérieure des rails intérieurs et extérieurs du cadre sur les côtés. Cette coupe devra être réalisée avant l'assemblage et il est recommandé d'utiliser des planches moins larges pour l'assise afin qu'elles suivent la courbe de près.

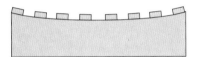

11 Fixez à l'aide de vis les panneaux de l'assise sur les rails et collez les bouchons. Assurez-vous qu'ils sont orientés dans le sens du bois, enfoncez-les avec un marteau. Une fois que la colle a pris, enlevez l'excédent avec un petit ciseau ou une scie à araser. La meilleure façon est de couper les bouchons un peu au-dessus du panneau et de finir au ponçage.

12 Attachez le premier panneau de l'assise arrière, à l'aide de serre-joints, et vissez-le aux pieds arrière. Placez-le de telle façon que le côté supérieur soit bien parallèle avec la ligne marquée par le haut des pieds.

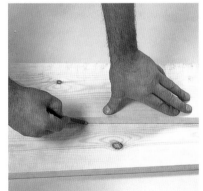

14 Utilisez un élément bien droit pour marquer la coupe oblique sur l'extérieur des accoudoirs. L'oblique devrait être de 25 mm (1 po) seulement. C'est plus simple de réaliser cela après avoir coupé le carré dans l'angle car vous pouvez mettre l'accoudoir en position et visualiser l'effet (fig. 14.1).

13 Une fois le premier panneau arrière en place, marquez et coupez les coins des accoudoirs pour qu'ils s'imbriquent dans les pieds arrière. Marquez la position des trous utilisés pour fixer les accoudoirs au panneau arrière et au sommet des pieds avant.

Fig. 14.1

AJOUTER DES MOTIFS

Pour un aspect plus dessiné, découpez des motifs dans les panneaux du dos de l'assise avec une scie sauteuse ou une scie à ruban. Les motifs courants sont le carreau, le cœur. Percez d'abord un avant-trou pour insérer la lame de scie.

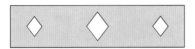

DESSINER LE DOS

Pour changer l'impression d'ensemble d'une chaise, une solution est de découper le dossier en courbe. Pour un aspect moderne, la courbe peut être très simple ; une découpe plus complexe donnera un aspect plus rustique. Il est possible de répéter le motif sur les panneaux frontal ou latéraux.

15 Percez, collez et vissez les bras au dos et au-dessus des pieds avant. Les trous à l'avant des bras seront cachés, utilisez un fraisoir ou, si cela n'est pas possible, percez les trous d'avance – autrement, il sera difficile de garder la visseuse bien en place. Assurez-vous que les trous sont alignés et font 9 mm (⅜ po) de profondeur.

16 Percez et vissez les deux derniers panneaux dorsaux. Le panneau central repose sur les accoudoirs en cachant les vis. Utilisez une chute pour positioner précisément le panneau supérieur.

17 Collez et insérez les bouchons. S'assurer si possible que les bouchons respectent le sens du bois et les enfoncer délicatement avec un marteau. Une fois que la colle a pris, enlevez l'excédent de bouchon avec un ciseau à bois, un couteau ou une petite scie à araser. Poncez à fleur.

18 Pour conclure, poncez légèrement toute la chaise pour enlever tout marquage. Pour une finition professionnelle, poncez les arêtes des accoudoirs d'abord avec du grain moyen, puis du fin. Après avoir enlevé toute sciure, la chaise est prête à être huilée, vernie ou peinte.

La table basse

▶ La table sera un utile et agréable ajout sur une terrasse ou un patio, encore plus avec les chaises correspondantes (voir page 66).

MATÉRIEL REQUIS

Pieds (A)
4 tasseaux de 395 x 89 x 89 mm

Rails du sous-cadre (B)
3 pièces de 730 x 140 x 19 mm
pour les rails central et d'extrémité
2 pièces de 1195 x 140 x 19 mm
pour les rails latéraux

Rails des corniches latérales (C)
2 pièces de 1115 x 140 x19 mm

Rails des corniches de bout (D)
2 pièces de 655 x 140 x 19 mm

Plateau (E)
4 pièces de 2600 x 184 x 19 mm
(50½ x 8 x 1 po)

Quincaillerie et finitions
32 vis galvanisées ø 8 x 40 mm

16 bouchons ø 13 mm

20 clous galvanisés

Colle à bois d'extérieur

Protection pour bois, teinture, vernis

Outils
Trousse à outils avec scie sur table ou une scie circulaire, trusquin et maillet

Fig. 1.1

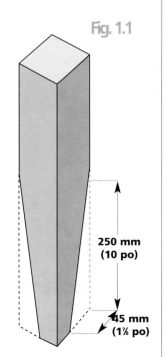

Voici un exemple de table facile à réaliser, qui est assez similaire à la « Chaise simple » (page 66). Ce modèle partage beaucoup des techniques utilisées, il est même plus simple à mettre en œuvre.

Elle peut paraître grande, mais que cela ne vous effraie pas : la table est un des meilleurs projets pour un menuisier débutant. Il vous suffit de fixer les quatre pieds à un cadre et d'ajouter un plateau. Comme la table est destinée au jardin, on utilise un plateau constitué de lattes pour laisser l'eau s'écouler. La table peut être construite avec toutes les qualités de pin ou d'épicéa, mais si vous souhaitez la finir avec un vernis incolore, il vaut mieux choisir la meilleure qualité (sans nœuds) de pin clair.

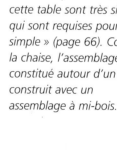

Les techniques utilisées pour réaliser cette table sont très similaires à celles qui sont requises pour la « Chaise simple » (page 66). Comme pour la chaise, l'assemblage est constitué autour d'un cadre construit avec un assemblage à mi-bois.

250 mm (10 po)

45 mm (1⅞ po)

1 À l'aide d'une scie circulaire, enlevez 13 mm (½ po) de tous les pieds (A) sur deux faces pour obtenir une section exacte de 75 x 75 mm (3 x 3 po). Choisissez quel bout sera le bas du pied. Mesurez et marquez à 45 mm (1⅞ po) d'un coin. Mesurez et marquez 250 mm (10 po) en remontant le long du pied. À l'aide du réglet, joindre les marques pour dessiner la ligne de coupe. Répétez l'opération pour les deux faces intérieures de chaque pied. Coupez à la scie circulaire (de préférence sur une table).

E

C

B

A

B

D

2 Le cadre est tenu par des joints à mi-bois à 38 mm des extrémités. Fixez ensemble deux rails opposés à l'aide de serre-joints avant de marquer les encoches. Répétez l'opération pour l'autre paire de panneaux. Utilisez une règle et un crayon ou un trusquin pour marquer la profondeur des encoches, à la moitié de la largeur des panneaux.

3 Découpez les encoches à l'aide d'une égoïne et utilisez un ciseau à bois et un maillet pour faire sauter l'intérieur. Vous pouvez travailler sur un ou deux éléments à la fois comme montré sur la photo. Découpez d'un côté puis de l'autre pour réduire le risque d'écaillage.

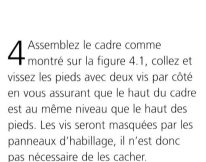

Fig. 4.1

4 Assemblez le cadre comme montré sur la figure 4.1, collez et vissez les pieds avec deux vis par côté en vous assurant que le haut du cadre est au même niveau que le haut des pieds. Les vis seront masquées par les panneaux d'habillage, il n'est donc pas nécessaire de les cacher.

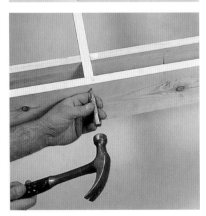

5 Collez et clouez les panneaux d'habillage (C et D) aux extrémités du cadre, en masquant les têtes de clous sous le bois à l'aide d'un chasse-clou. Prenez garde de ne pas abîmer la surface des panneaux en tapant sur les clous. Il sera néanmoins possible d'utiliser de la pâte à bois pour cacher une éventuelle marque.

6 Disposez les lattes du panneau supérieur (E) avec un écartement de 19 mm (¾ po) en vous assurant que le dépassement des lattes est identique de chaque côté. À l'aide d'une longue règle, marquez une ligne qui servira à positionner les vis servant à fixer les lattes.

7 Marquez la position exacte des trous de perçage. En faisant des petites croix vous serez plus précis encore.

FAITES VOS BOUCHONS

Plutôt que d'acheter des bouchons, vous pouvez en réaliser vous-même à l'aide d'une mèche à bouchon. Pour de meilleurs résultats, utilisez une perceuse radiale avec le bois bien maintenu. Les meilleures mèches sont fuselées afin que les rondelles s'insèrent parfaitement. Cet outil est idéal si vous utilisez un type particulier de bois.

PLATEAU OUVRANT

Une variation possible est d'avoir un plateau ouvrant plutôt que fixe, avec deux traverses pour maintenir les lattes ensemble. Dans cette configuration, il faudra ignorer la planche centrale du cadre et fixer un panneau sous le cadre qui pourra alors contenir ce que bon vous semble. La découpe du panneau d'habillage permet également de changer l'aspect décoratif de la table.

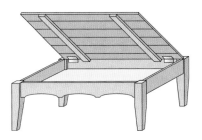

8 Percez les avant-trous pour les vis dans chaque latte. Utilisez une fraise de 13 mm (½ po) pour percer des trous profonds de 9 mm (⅜ po) afin d'insérer les bouchons. Vissez les lattes.

10 Utilisez un rabot ou une cale à poncer pour adoucir les arêtes sur le plateau de la table.

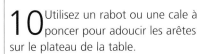

9 Assurez-vous que les bouchons sont d'un diamètre correct, encollez-les et enfoncez-les à l'aide d'un petit maillet. Une fois que la colle a pris, utilisez un ciseau à bois bien aiguisé ou un couteau pour enlever l'excédent de bois.

11 Poncez tout le plateau supérieur, avec ses bouchons, à l'aide d'une cale à poncer ou d'une ponceuse électrique. Poncez également les pieds et les panneaux d'habillage pour effacer toutes les marques. Enlevez tout reste de sciure à l'aide d'un chiffon humide pour appliquer le produit de finition.

La table mosaïque

MATÉRIEL REQUIS

Pieds (A)
4 tasseaux de 750 x 64 x 64 mm
(30 x 3 x 3 po)

Support de la base (B)
1 pièce de contre-plaqué marine
de 500 x 500 x 18 mm (20 x 20 x ¾ po)

Pièces de la jupe (C)
4 sections de 500 x 140 x 38 mm
(20 x 6 x 2 po)

Plateau circulaire de table (D)
1 pièce de contre-plaqué marine
de 1220 x 1220 x 18 mm (48 x 48 x ¾ po)

Carreaux colorés (E)
Suffisamment pour couvrir une surface de
0,9 m² (11 pieds carrés)

Quincaillerie et finitions
16 vis galvanisées ø 10 x 50 mm (2 po)

8 vis galvanisées ø 10 x 65 mm

4 vis galvanisées ø 10 x 30 mm

Pâte à bois

Colle à bois d'extérieur

Enduit de polyuréthane

Colle pour carreaux

Ciment d'extérieur

Protection pour bois, peinture, vernis

Outils
Trousse à outils de base avec maillet,
pince à couper les carreaux,
raclette à ciment et étau

La mosaïque est le matériau idéal pour embellir votre jardin. D'innombrables couleurs sont disponibles. Vous pouvez combiner les carreaux, offrant ainsi de nombreuses possibilités de créations. Cette table est facile à réaliser, avec des lignes simples pour ne pas compliquer le travail de mosaïque.

La table est en bois tendre et en contre-plaqué marine, traité pour résister à l'eau. La surface du plateau est fonction du nombre de places souhaitées : le diamètre ici sera de 1000 mm (40 po) et permettra de servir 4 ou 5 personnes.

Les jambes et la jupe de la table peuvent être lazurées, vernies ou peintes en accord avec la mosaïque.

▶ *La table mosaïque apporte couleurs et motifs sur une terrasse et offre un élément d'intérêt supplémentaire.*

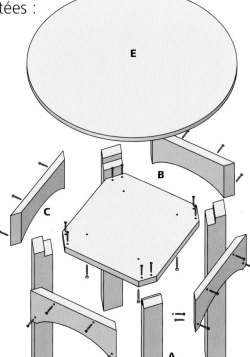

1 Marquez une encoche en haut de chaque pied (A) de 25 mm (1 po) de large et 19 mm (¾ po) d'épaisseur, en utilisant une équerre à combinaison ou un trusquin. Ces encoches accueilleront les coins du support de la base (B).

La construction est extrêmement simple : 4 pieds solides (A) sont assemblés avec le support (B) par un simple assemblage à mi-bois, et tout l'assemblage est consolidé par les pièces de la jupe (C).

2 En maintenant un pied contre un crochet du plan de travail ou un étau, coupez en travers du fil avec une scie à tenon, en restant du côté perdu de l'encoche. Arrêtez-vous à ras de la seconde marque qui est à angle droit avec la première.

3 Retirez les copeaux avec un ciseau et un maillet. Vérifiez que vous êtes dans le sens du bois le long du pied ou vous pourriez rogner trop de bois, réduisant l'aspect bombé et fragilisant la jointure. Coupez les encoches sur les quatre pieds.

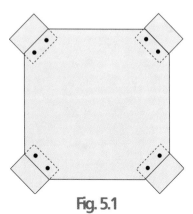

4 Mesurez et marquez le support de la base (B) à 40 mm (1½ po) le long des deux côtés de chaque coin et utilisez une règle plate pour assembler les marques. Coupez les triangles qui en résultent avec une scie égoïne. Cela laisse une diagonale sur chaque coin qui s'ajustera parfaitement dans les encoches coupées sur les pieds.

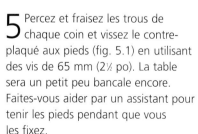

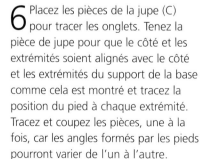

Fig. 5.1

5 Percez et fraisez les trous de chaque coin et vissez le contre-plaqué aux pieds (fig. 5.1) en utilisant des vis de 65 mm (2½ po). La table sera un petit peu bancale encore. Faites-vous aider par un assistant pour tenir les pieds pendant que vous les fixez.

6 Placez les pièces de la jupe (C) pour tracer les onglets. Tenez la pièce de jupe pour que le côté et les extrémités soient alignés avec le côté et les extrémités du support de la base comme cela est montré et tracez la position du pied à chaque extrémité. Tracez et coupez les pièces, une à la fois, car les angles formés par les pieds pourront varier de l'un à l'autre.

Rabotez les pieds

Vous pourrez modifier la forme des pieds en chanfreinant les deux arêtes de la jupe. La quantité de bois à retirer dépendra de l'effet que vous souhaitez atteindre, d'un coin légèrement biseauté à une face vraiment carrée. La meilleure façon de le faire est de tenir les pieds fermement dans un étau avant qu'ils soient fixés au support de base.

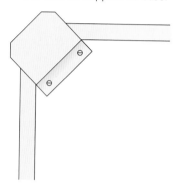

Repositionnez les pieds

Pour un aspect différent, vous pourrez changer les pieds. Placez-les pour que les coins plutôt que les côtés plats ressortent. Chanfreinez les bords, comme ci-dessus, pour créer une forme octogonale. Avec cette méthode, vous n'aurez pas besoin de faire des onglets sur les pièces de la jupe, ce qui rend ce projet plus simple si vous ne possédez pas de scie à onglet.

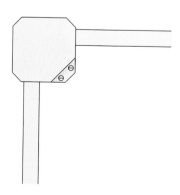

7 Utilisez une équerre à combinaison pour tracer un onglet de 45 degrés sur la jupe et rejoignez les marques en travers des faces. Vous pouvez couper ces onglets à la main, mais une boîte à onglet rend le travail plus facile, plus rapide et plus précis.

9 Nettoyez les pièces de la jupe avec du papier de verre. Percez et fraisez les trous pour visser les pièces de la jupe aux pieds et au support de la base. Percez les deux trous pour les pieds en diagonale de l'angle pour que les vis aillent au bout de la jupe (fig. 9.1). Vissez la jupe à la table et prenez soin de boucher les têtes de vis avec de la colle à bois avant d'appliquer la protection pour bois.

8 Faites un gabarit pour tracer la courbe sur les pièces de la jupe. Faites une marque à 13 mm (½ po) du bord supérieur de l'un des panneaux au milieu dans la longueur. Placez une planchette souple le long du bord supérieur du panneau et posez un serre-joint à chaque extrémité. Poussez la planchette au centre jusqu'à ce qu'elle atteigne la marque. Serrez la planchette et tracez la courbe. Coupez avec la scie sauteuse. Une fois que vous êtes satisfait de la courbe, utilisez-la comme gabarit pour marquer les six autres pièces de la jupe.

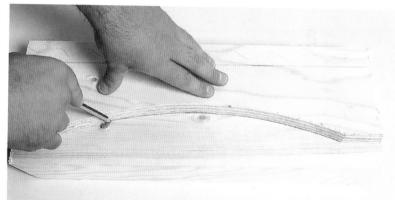

10 Maintenant tournez le plateau de la table (D). Marquez le centre du contre-plaqué et plantez un clou à cet endroit. Attachez un crayon au clou avec une longueur de fil de 500 mm (20 po). Utilisez-le pour tracer un cercle d'un diamètre de 1000 mm (40 po).

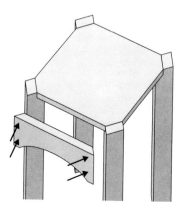

Fig. 9.1

PIEDS RONDS

Pour un aspect plus rustique, utilisez un bois de 75 mm (3 po) de diamètre acheté dans une jardinerie. Faites une encoche sur le plateau de la table (voir étape 4) mais aplanissez les côtés où sera fixée la jupe. Faites des tests pour voir quelle taille de pied vous souhaitez montrer ; plus l'encoche du plateau est grande, plus la table sera solide.

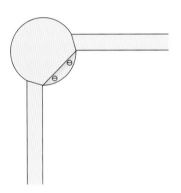

11 Coupez le cercle avec la scie sauteuse, avec un minimum d'échardes. Vous le garderez pour le côté qui sera recouvert par la mosaïque. Les échardes sautent en général lorsque vous travaillez en travers de la fibre plutôt que dans le sens de la fibre.

12 Percez quatre trous à la moitié de chaque côté du support de base et vissez au plateau de la table par-dessous avec des vis de 30 mm (1¼ po). Dessinez votre modèle sur le plateau de la table au stylo. Passez sur les traits avec un marqueur qui sera visible sous n'importe quel enduit et adhésif (fig. 12.1).

Fig. 12.1

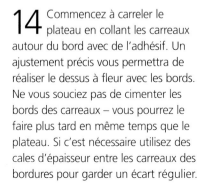

13 Enduisez le plateau avec une couche de polyuréthane d'extérieur et laissez sécher. Choisissez la forme des carreaux et les couleurs que vous souhaitez utiliser pour le dessin de la mosaïque (E) – vous pourrez acheter des carreaux de mosaïque chez des fournisseurs spécialisés. Utilisez des carreaux carrés ou de forme géométrique variée ou coupez-les de façon aléatoire avec la pince à couper.

14 Commencez à carreler le plateau en collant les carreaux autour du bord avec de l'adhésif. Un ajustement précis vous permettra de réaliser le dessus à fleur avec les bords. Ne vous souciez pas de cimenter les bords des carreaux – vous pourrez le faire plus tard en même temps que le plateau. Si c'est nécessaire utilisez des cales d'épaisseur entre les carreaux des bordures pour garder un écart régulier.

UNE BORDURE EN ARRONDI

Une solution alternative au carrelage de la bordure est de fixer une fine bande de bois ou d'aluminium. Les deux types de bande sont disponibles dans les magasins de bricolage et sont faciles à courber et à fixer. Courbez doucement dans la forme voulue et vissez-la. Pour un joint bien net, coupez la bande en biseau pour faire un joint en biseau. Si vous utilisez de l'aluminium, prenez soin de bien enlever les arêtes pointues ou les pointes avec une lime.

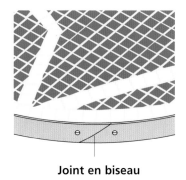

Joint en biseau

15 Les carreaux de mosaïque sont souvent proposés sous forme de bandes. Disposez les carreaux sur le patron et marquez les endroits où il faudra couper.

16 On coupe plus facilement les carreaux avec des pinces coupantes. Ils se casseront assez facilement, mais vous aurez peut-être besoin de les couper petit à petit pour atteindre l'angle et la forme désirés.

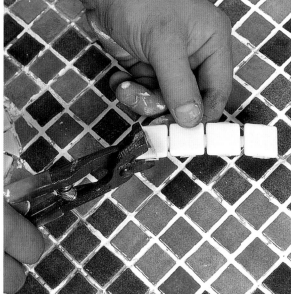

17 Une fois que vous avez couvert les lignes qui représentent l'étoile, remplissez simplement entre les points. La plupart du travail pourra être fait avec des carreaux entiers, mais vous en couperez certains pour que cela s'ajuste bien.

18 Remplissez les espaces entre les carreaux avec du ciment, en utilisant une raclette à ciment pour pousser la matière crémeuse du ciment dans les trous. Essuyez tout excès de ciment avec une serpillière humide. Une fois sec, brossez le film restant avec un chiffon doux.

La chaise longue

MATÉRIEL REQUIS

Sous-cadre (A)
2 planches de bois tendre pour les côtés
de 2000 x 140 X 19 mm (80 x 6 x 1 po)

2 planches de bois tendre
pour les extrémités
de 700 x 140 X 19 mm (28 x 6 x 1 po)

1 planche de bois tendre
pour la cloison horizontale
de 665 x 140 x 19 mm (26½ x 6 x 1 po)

1 planche de bois tendre
pour la cloison centrale verticale
de 1400 x 140 x 19 mm (56 x 6 x 1 po)

Environ 2000 mm (80 po) de liteau fin et
souple pour dessiner des courbes

Lattes (B)
20 lattes de bois tendre
de 700 x 89 x 19 mm (28 x 4 x 1 po)

Bâti de dossier (C)
2 planches de bois tendre
de 580 x 38 x 38 mm (23¾ x 2 x 2 po)

Bâti de crémaillère (D)
1 panneau de contreplaqué marine
de 100 x 300 x 19 mm (4 x 12 x 1 po)

Accessoires de dossier (E)
2 planches de bois tendre
de 350 x 38 x 19 mm (14 x 2 x 1 po)

Quincaillerie et finitions
Colle à bois d'extérieur

Environ 120 vis galvanisées
ø 8 x 40 mm (1½ po)

2 boulons de 50 mm (2 po) de long

2 rondelles de 19 mm (¾ po) de diamètre

3 charnières de 50 mm (2po) et vis

Protection pour bois, peinture, teinture…

Outils
Trousse à outils de base
avec compas et clé de serrage

Flâner dans le jardin est un luxe de l'été, même si cette chaise longue peut servir tout au long de l'année dans une véranda. Elle est conçue comme une duchesse – avec un dossier réglable pour lire, discuter ou faire la sieste et est encore plus confortable avec des coussins ou un matelas.

Le concept de l'inclinaison paraît compliqué, mais en fait cette chaise est assez facile à réaliser. Vous pourrez faire les finitions avec une teinture, un vernis ou une peinture même si, à l'intérieur, ce ne sera pas nécessaire de la protéger contre les intempéries. En fait, vous pourrez la laisser vieillir au fil des années quand elle sera devenue une place de choix.

▶ *La courbe très douce le long des côtés du sous-cadre donne du caractère et un air plus sophistiqué à cette chaise longue.*

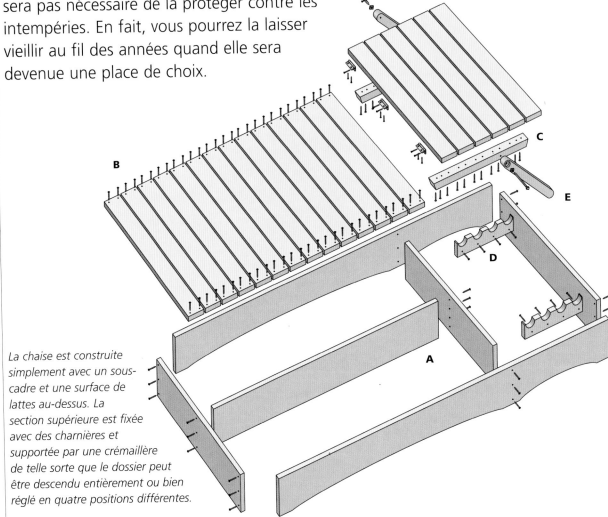

La chaise est construite simplement avec un sous-cadre et une surface de lattes au-dessus. La section supérieure est fixée avec des charnières et supportée par une crémaillère de telle sorte que le dossier peut être descendu entièrement ou bien réglé en quatre positions différentes.

1 Prenez une des pièces latérales du sous-cadre (A) (fig. 5.1). Mesurez 1400 mm (56 po) à partir d'un bout (P) et marquez un point (Q) pour indiquer la cloison horizontale centrale. Tracez une ligne (S) de 50 mm (2 po) à gauche et une autre (T) de 50 mm (2 po) à la droite de ce point. Tracez une ligne (U) de 100 mm (4 po) en partant du bord P du cadre et une autre (V) de 100 mm (4 po) en partant du bord R. Faites un point pour le milieu entre les marques U et S. Mesurez et tracez une ligne à 40 mm (1½ po) au-dessus de ce point. Faites de même entre les marques T et V. Serrez une des extrémités du liteau au point U et tenez l'autre côté sans serrer au point S.

2 Calculez le centre du liteau et doucement poussez-le vers la marque entre les points U et S. Serrez le liteau en S ainsi cela fait une courbe de 40 mm (1½ po). Avec un crayon bien taillé, dessinez la courbe le long du bord intérieur du liteau. Répétez la même opération de l'autre côté entre les points T et V et tracez une courbe.

3 Coupez les courbes avec une scie sauteuse et poncez toutes les aspérités avec du papier de verre. En utilisant la pièce latérale comme un gabarit, copiez les courbes sur l'autre pièce latérale du sous-cadre. Coupez et poncez ce côté.

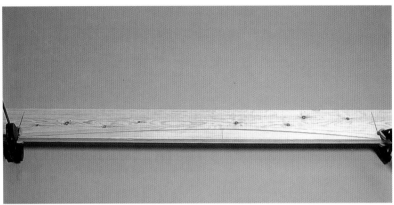
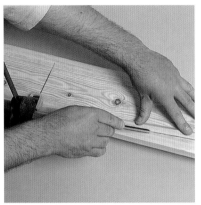
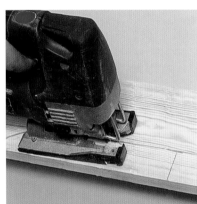

4 Percez toutes les pièces du sous-cadre pour l'assemblage comme cela est montré dans le diagramme en éclaté. Utilisez une équerre pour vous assurer que les pièces forment bien un angle droit quand vous percez les trous. Les pièces sont assemblées avec trois vis par jointure, percées à environ 25 mm (1 po) du sommet et de la base avec une troisième vis au centre.

5 Commencez par visser les assemblages de côté, et continuez par les cloisons centrales. La construction est raisonnablement solide à ce stade, mais sera renforcée par la pose des lattes. Une fois le sous-cadre vissé (fig. 5.1), vérifiez que les bords sont en angle droit avant de disposer les lattes.

P – Q = 1400 mm (56 po)
S – Q = 50 mm (2 po)
Q – T = 50 mm (2 po)
P – U = 100 mm (4 po)
V – R = 100 mm (4 po)

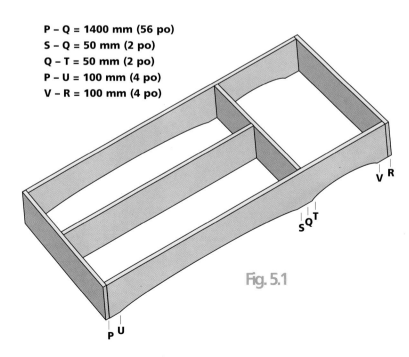

Fig. 5.1

Perçage répétitif

Percer des trous au bout des lattes est une tache qui peut être accélérée en utilisant un serre-joint improvisé sur une perceuse à colonne. Le guide X agit comme une butée, donnant la garantie que chaque trou est percé à la même distance à partir du bout de la latte. Les cales Y et Z sont serrées sur le guide X et placées à 88 mm (2½ po) environ de chaque côté de la latte tout en étant équidistantes du centre de la perceuse. Les lattes sont poussées tout d'abord contre une des cales et percées puis contre la seconde cale pour le second trou, tout ceci de façon très précise sans avoir à mesurer et marquer chaque latte.

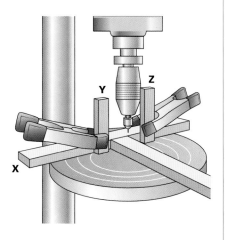

6 Poncez les extrémités des lattes (B). Percez et fraisez deux trous de chaque côté de chaque latte, à la même distance des extrémités et des côtés (voir « perçage répétitif » pour une méthode plus rapide). Attachez la première latte à fleur de la cloison centrale horizontale. Vous pouvez aussi attacher cette latte avec la cloison pour une plus grande solidité.

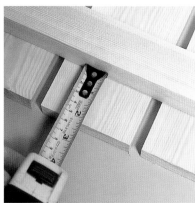

8 Maintenant faites le panneau du dossier. Alignez les six lattes restantes, correctement espacées, et avec leurs extrémités à fleur. Placez les deux supports (C) à 56 mm (2¼ po) en partant du bord des lattes, pour permettre au dossier de s'emboîter avec le sous-cadre.

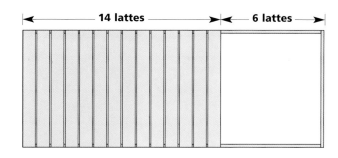

14 lattes	6 lattes

Fig. 7.1

7 Vissez le reste des lattes au cadre, en partant de la cloison vers les pieds de la chaise longue et en utilisant une cale d'épaisseur pour conserver des écarts identiques. Pour le modèle de 14 + 6 lattes vu ici (fig. 7.1), nous avons pris un écart de 12 mm (½ po), mais en fonction des dimensions de votre bois, vous ferez un essai et calculerez l'écart exact nécessaire.

9 Percez et fraisez de façon égale les trous dans les supports. Vissez les supports sur les lattes à travers les trous fraisés, une fois encore en utilisant la cale d'épaisseur pour conserver un écart régulier.

DES ROULETTES

Vous pourrez faire une chaise longue plus transportable en ajoutant des roulettes. La méthode la plus simple est de monter des roulettes en bois sur le cadre de la chaise. À la place, vous pouvez aussi coller et visser des cales d'angle à l'intérieur du cadre et visser des roulettes en métal au bout des cales.

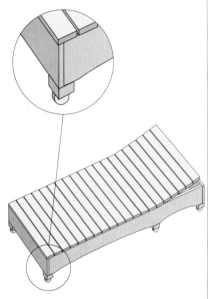

10 Utilisez une mèche à trois pointes pour percer quatre trous de 40 mm (1½ po) le long de la ligne centrale du bâti de crémaillère (D). Placez un trou à chaque extrémité et répartissez les autres de façon uniforme. Percez et fraisez les trous pour visser les supports au cadre, un trou de chaque côté, des trous plus gros montrés ci-dessous.

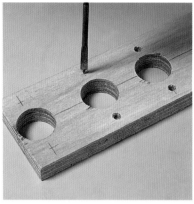

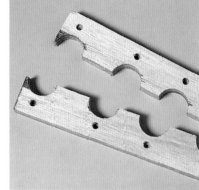

11 Coupez la pièce en deux par le centre pour créer deux crémaillères avec des encoches qui soutiendront le bâti du dossier en position.

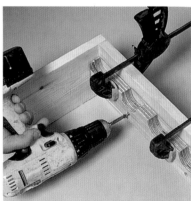

12 Collez et vissez les accessoires de support (crémaillères) au cadre à 40 mm (1½ po) sous le bord supérieur du cadre. Il est toujours préférable de serrer chaque pièce en place avant de placer les vis, mais prenez soin de protéger l'extérieur du cadre des marques des têtes de serre-joints.

13 Utilisez un compas pour faire un demi-cercle sur le bord le plus large à chaque extrémité de chaque crémaillère de dossier, et ensuite coupez suivant les marques avec une scie à chantourner. Cela leur donne une forme arrondie permettant aux crémaillères de pivoter.

ÉTAGÈRE PRATIQUE

Pour la touche finale, vous pouvez fixer une étagère pour les boissons, lunettes et livres, sur le côté de la chaise longue. C'est simplement une pièce de bois attachée par quelques tasseaux de bois ou de métal. Faites une finition de couleur contrastée pour éclairer l'endroit où vous voudriez que votre boisson soit servie !

Vue de face

Vue latérale

Emplacement

14 Percez la face la plus large à une extrémité de chaque crémaillère pour les boulons. Fraisez pour les rondelles des boulons afin qu'ils ne se dévissent pas quand vous bougerez les accessoires et aussi pour que vous puissiez les assembler avec une clé de serrage.

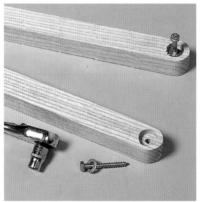

15 Posez le dossier, couché sur la partie inférieure de la chaise et alignez les deux bords à assembler, c'est-à-dire la latte du dessous du dossier avec la latte du dessus de la section principale. Avec un assistant tenant les deux pièces fermement, vissez trois charnières aux extrémités des deux lattes, une à chaque bord et une au centre. Vérifiez que le dossier bouge facilement sur les charnières.

16 En conservant le dossier rabattu sur la partie inférieure de la chaise, fixez les crémaillères sur le bord extérieur de l'un des supports du dossier au centre de la quatrième latte en partant des charnières.

17 Une fois satisfait du résultat sur un côté, fixez la deuxième crémaillère sur l'autre côté. Bouchez les trous de vis avec un enduit. Quand c'est sec, appliquez une protection pour bois et la peinture, teinture ou le vernis sur la chaise longue.

Le banc au dossier arrondi

MATÉRIEL REQUIS

Pieds arrière (A)
6 planches de 910 (36 po) x 89 x 19 mm

Rails avant et arrière du siège (B)
2 planches de 1500 (59 po) x 89 x 19 mm

Rail du dessus (C)
1 pièce de 1500 (59 po) x 184 x 19 mm avec un bord supérieur arrondi qui se resserre à 100 mm (4 po) aux extrémités, coupée selon la méthode page 84

Supports des accoudoirs (D)
2 pièces de 500 (20 po) x 3 x 19 mm

Rails centraux et de bout de siège (E)
3 pièces de 500 (20 po) x 89 x 19 mm

Pieds avant (F)
6 pièces de bois tendre de 620 (24½ po) x 89 x 19 mm

Lattes du siège (G)
3 pièces de 1650 (65 po) x 184 x 19 mm

Liteau arrière (H)
1 pièce de 1500 (59 po) x 38 x 19 mm

Fines lattes arrière (I)
4 pièces de 600 (24 po) x 89 x 19 mm

Lattes arrière larges (J)
5 pièces de 600 (24 po) x 184 x 19 mm

Panneau de recouvrement (K)
1 pièce de 1830 (72 po) x 89 x 19 mm

Accoudoirs (L)
2 pièces de 630 (24¾ po) x 89 x 19 mm

Quincaillerie et finitions
54 vis galvanisées ø 8 x 30 mm

20 vis galvanisées ø 10 x 40 mm

30 vis galvanisées ø 10 x 50 mm

18 clous de finition galvanisés de 40 mm

63 bouchons ø 13 mm (½ po)

Colle à bois d'extérieur

Protection pour bois, peinture, teinture, vernis

Outils
Boîte à outils avec fausse équerre et maillet

On obtient la solidité nécessaire pour un banc en faisant un assemblage de tenons et mortaises. Ils existent sous plusieurs formes, mais requièrent des tracés très précis et des coupes soigneuses. Pour le banc construit ici, nous avons imaginé une autre méthode qui inclut le contre-collage ou le collage des pieds en trois épaisseurs, en coupant d'abord des encoches sur la lamelle centrale. Ces encoches formeront les mortaises aux extrémités des traverses. Le siège est incliné de cinq degrés vers l'arrière pour plus de confort, mais c'est moins difficile à faire que cela en a l'air. Les pieds avant sont verticaux, ce qui signifie que la traverse du fond, les accoudoirs et le support des accoudoirs rejoignent les pieds avant dans un angle correspondant de cinq degrés. Tout le reste est coupé à angle droit.

▶ Les lignes nettes et les proportions élégantes de ce banc correspondent bien à un cadre urbain chic, mais pourraient aussi bien s'intégrer dans un jardin de campagne classique.

Ce projet utilise des assemblages à tenons bâtards pour que l'assemblage des éléments soit solide. Ce qui signifie aussi que vous ne passerez pas des heures à construire vos tenons et mortaises.

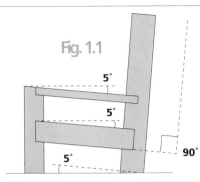

Fig. 1.1

5°

5°

5°

90°

2 Mesurez 343 mm (13½ po) à partir du bas de la section centrale d'un des pieds arrière et coupez une encoche de 90 mm (3½ po) de largeur par 35 mm (1⅜ po) de profondeur pour le support de l'accoudoir.

3 Utilisez le pied avec l'encoche comme gabarit pour faire les autres feuillures. Coupez les encoches avec une scie égoïne, en enlevant les copeaux avec un ciseau et un maillet.

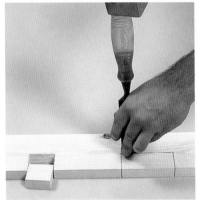

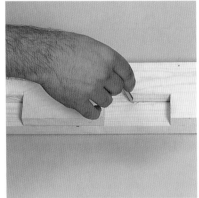

1 Mesurez, tracez et coupez un angle de cinq degrés sur les dessus et dessous de chacune des six sections de pieds arrière (A) de telle sorte que le banc soit solidement posé sur le sol lorsqu'il est incliné en arrière. Coupez un angle similaire sur le dessus des pieds avant et à une extrémité des deux supports des accoudoirs (D) et à la fin des traverses du siège (E). Percez, collez et vissez la section intérieure arrière du pied à la traverse arrière du siège (B) et la traverse du dessus (C), en utilisant une cale d'épaisseur de 35 mm (1⅜ po) pour placer les traverses bien au centre du pied. Le bord de la traverse affleure avec le bord du pied, et la traverse de l'arrière du siège est placée à 343 mm (13½ po) du bas du pied.

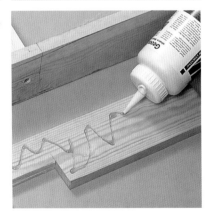

4 Collez et serrez les feuillures centrales avec encoches pour les pieds arrière aux feuillures intérieures, en prenant soin de bien tracer avec précision les sections. Percez et vissez. Vous ne pouvez plus faire marche arrière maintenant, car les feuillures centrales couvrent les vis qui maintiennent les feuillures internes à la traverse du siège et la traverse arrière du dessus.

5 Répartissez la colle dans les « mortaises » pour les supports des accoudoirs (D) et les traverses du bout du siège (E).

6 Vissez les supports d'accoudoirs percés et les traverses du bout de siège dans les mortaises, en vérifiant qu'elles sont bien carrées. Répétez l'opération pour l'autre pied arrière. Une fois que la colle a bien pris, soulevez l'assemblage arrière et posez le contre un mur pour qu'il soit vertical avec les pieds bien plats sur le sol.

FAIRE UN ASSEMBLAGE CONVENTIONNEL À TENON ET MORTAISE

L'assemblage à tenon et mortaise est un choix traditionnel quand vous faites un banc ou une chaise. Si vous avez un peu d'expérience, vous pouvez couper cet assemblage avec des outils à main ou avec une défonceuse. Des assemblages plus simples utilisés pour cette réalisation sont appelés des tenons bâtards car la largeur et la profondeur tiennent dans la mortaise.

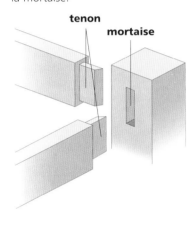

tenon

mortaise

7 Sacrifiez les feuillures des pieds avant centraux à l'assemblage du dossier et tracez les positions des encoches pour les extrémités des traverses du siège et des supports des accoudoirs. Coupez les encoches comme auparavant à une épaisseur maximale de 35 mm (1⅜ po). Percez, collez, vissez les pieds intérieurs avant à la traverse avant du siège (B) en utilisant une cale d'épaisseur de 35 mm (1⅜ po) pour placer la traverse bien au centre du pied. Collez et vissez les feuillures centrales, comme vous l'avez fait pour les sections arrière. Vous pouvez assembler les moitiés avant et arrière en vissant les traverses du siège et les supports des accoudoirs aux mortaises des pieds avant.

8 Fixez les feuillures extérieures des pieds (A et F) aux pieds avant et arrière en les collant, serrant et vissant en place. Fraisez les trous en utilisant une mèche trois pointes de 13 mm (½ po) à une profondeur de 10 mm (⅜ po). Quand la colle a pris, rabotez les bords des sections de feuillures pour qu'elles soient absolument à fleur.

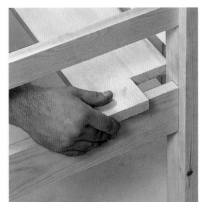

10 Une fois que la colle a pris sur les pieds, fixez le siège au cadre. Coupez des encoches à l'avant et à l'arrière des lattes du siège (G) pour qu'elles s'emboîtent autour des pieds, et qu'elles passent au-dessus des traverses avant, arrière et latérales de 19 mm (¾ po) (fig. 10.1). Avec les lattes avant et arrière en place, placez la latte centrale régulièrement et vérifiez qu'elles sont bien toutes alignées et bien placées.

9 Percez et vissez la traverse (E) aux traverses avant et arrière du siège. Fraisez avec une mèche trois pointes de 13 mm (½ po) à une profondeur de 10 mm (⅜ po). Les trous seront bouchés ultérieurement par des bouchons.

Fig. 10.1

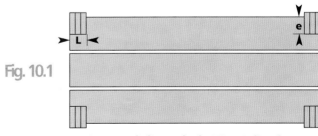

Largeur de l'encoche l = 72 mm (3 po)
Épaisseur de l'encoche e = 104 mm (4¼ po)

LA COURBE DU SIÈGE

De même que nous avons incliné le dossier du banc pour plus de confort, courber un peu les planches du siège le rendra plus ergonomique. Il suffit de couper une courbe légère le long des bords supérieurs des traverses et au centre du siège (E), pas plus de 25 mm (1 po) de profondeur. Des lattes plus étroites, d'une largeur d'environ 75 mm (3 po), seront nécessaires pour mieux suivre la courbe.

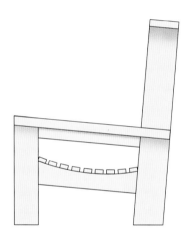

11 Tracez avec attention l'emplacement des trous pour visser les lattes du siège aux traverses du siège en dessous. Percez, collez et vissez les lattes aux traverses du siège. Fraisez comme auparavant à une profondeur de 10 mm (⅜ po) en utilisant une mèche trois pointes de 13 mm (½ po).

12 Calculez où se trouve la traverse arrière supérieure en mesurant la distance de la traverse à la surface avant du pied arrière. Utilisez cette mesure pour placer la planchette arrière (H) sur la latte arrière du siège. Collez et clouez la planchette. Posez les lattes arrière. Elles doivent être à angle droit sur la latte arrière du siège, contre la planchette et la traverse supérieure. Assurez-vous que les lattes larges et étroites alternent bien et que l'espacement est régulier.

Fig. 14.1

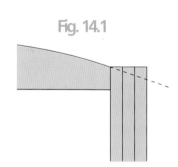

13 Placez-vous derrière le banc. En tenant chaque latte, tracez la ligne courbe de la traverse supérieure sur l'arrière des lattes. Retirez-les, coupez-les et remettez-les en place. Percez, collez et vissez-les à la traverse supérieure, en prenant soin que votre ligne de perçage suive bien la courbe et fraisez comme d'habitude. Clouez les extrémités inférieures aux planchettes du dossier.

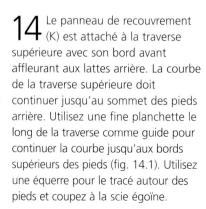

14 Le panneau de recouvrement (K) est attaché à la traverse supérieure avec son bord avant affleurant aux lattes arrière. La courbe de la traverse supérieure doit continuer jusqu'au sommet des pieds arrière. Utilisez une fine planchette le long de la traverse comme guide pour continuer la courbe jusqu'aux bords supérieurs des pieds (fig. 14.1). Utilisez une équerre pour le tracé autour des pieds et coupez à la scie égoïne.

UN DOSSIER DIFFÉRENT

Pour plus de contraste, nous avons construit le dossier à partir de deux largeurs de lattes, mais vous pouvez changer cet arrangement selon votre préférence. Souvenez-vous qu'un nombre impair de lattes fait un meilleur effet car les lattes centrales vont définir le sommet de la courbe. La traverse supérieure n'a pas besoin d'être incurvée ; vous pourriez utiliser des lattes étroites au lieu d'alterner des lattes larges avec des lattes étroites. Une autre solution est de faire un dossier en éventail, similaire aux chaises Adirondack.

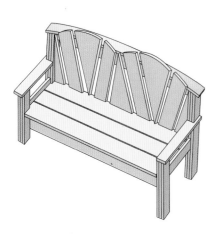

15 Percez, collez et vissez le panneau d'habillage à la traverse supérieure arrière, en travaillant d'une extrémité à l'autre (fig. 15.1). Le bois s'incurvera assez facilement, mais cette opération sera facilitée par l'aide d'un assistant. Fraisez les trous comme d'habitude.

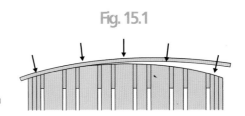

Fig. 15.1

16 Tracez et coupez les encoches sur les accoudoirs (L) pour qu'ils s'emboîtent autour des pieds arrière. Faites des encoches de 58 mm (2¼ po) de large et de 90 mm (3½ po) de profondeur. Mesurez et tracez les emplacements pour attacher les accoudoirs aux supports et percez, collez et vissez les accoudoirs aux supports. Fraisez les trous comme d'habitude.

18 Collez et bouchez tous les trous fraisés avec des bouchons de bois dur. Utilisés comme élément de décoration, ils doivent être bien alignés au bord des lattes du siège et spécialement le long du bord avant. Une fois que la colle a bien pris, enlevez l'excès avec un ciseau à bois et poncez à fleur. Poncez toutes les parties rugueuses et chanfreinez les angles aigus et les coins avant d'appliquer la finition de votre choix.

17 Placez un angle droit à la verticale contre le bord extérieur de l'accoudoir pour calculer où vous devrez couper les extrémités de la traverse supérieure incurvée. Corroyez les extrémités et poncez avec une cale à poncer.

Le banc brouette

MATÉRIEL REQUIS

Toutes les dimensions non mentionnées
sont en millimètres

Manches (A)
2 pièces de 1980 (78 po) x 140 x 38 mm

Traverses (B)
3 tasseaux de 460 (18 po) x 38 x 38 mm

Supports de roue (C)
2 pièces de 1930 mm (76 po) x 89 x 38 mm

Pieds avant (D)
2 tasseaux de 610 (24 po) x 38 x 38 mm

Pieds arrière (E)
2 tasseaux de 915 (36 po) x 38 x 38 mm

Accoudoirs (F)
2 tasseaux de 590 (23¼ po) x 38 x 38 mm

Rail supérieur du dossier (G)
1 tasseau de 1400 (55 po) x 38 x 38 mm

Lattes du siège (H)
10 de 1400 (55 po) x 38 x 19 mm

Planchettes pour le dossier (I)
2 pièces de bois tendre
de 2030 (80 po) x 12 x 12 mm

Dossier (J)
1 pièce de contre-plaqué marine
de 1420 (54 po) x 500 x 13 mm

Panneaux de structure arrière (K)
1 pièce de 1295 mm (51 po) et 2 pièces
de 412 (16¾ po) x 38 x 19 mm

Logement des axes (L)
2 pièces de 200 (8 po) x 89 x 38 mm

Roues (M)
Une pièce de contre-plaqué marine
de 600 (24 po) x 600 x 19 mm

Quincaillerie et finitions
2 roulements étanches (roue) avec deux rondelles et une petite tige en acier pour l'axe

32 vis galvanisées ø 10 x 65 mm
pour construire les parties principales

10 vis galvanisées ø 4 x 20 mm (¾ po)
pour fixer le dossier

48 clous galvanisés de 40 mm (1½ po)

18 bouchons de bois tendre de 12 mm

Protection bois, peinture, teinture, vernis

Outils

Trousse à outils de base avec pistolet,
alêne, ponceuse électrique, serre-joints (6),
trusquin, papillons pour fixer les roulements

Être capable de bouger le banc dans le jardin n'est pas seulement utile pour tondre la pelouse ; cela vous permet aussi de suivre le soleil ou l'ombre au fil de la journée et des saisons. Les bancs de jardin sont en général trop lourds pour être déplacés. Mais en associant un fauteuil avec une brouette, vous pourrez faire un banc mobile. La roue de contre-plaqué tourne doucement sur deux roulements étanches, que vous trouverez dans n'importe quel magasin d'outillage. Sinon, vous pourrez en recycler à partir de vieilles roues de bicyclette.

▶ *Ce banc dessiné avec intelligence permet de créer un endroit où vous asseoir dans n'importe quelle partie du jardin.*

Ce banc est construit sur le modèle d'un châssis classique, presque comme si c'était un véhicule. Le design est simplement robuste, procurant un supplément inhabituel mais très modulable à vos meubles de jardin.

2 Serrez les poignées ensemble et tracez les emplacements des traverses (B) en fig. 2.1. Engagez les supports de la roue (C) le long des poignées avec une extrémité des supports affleurant avec la traverse la plus proche des poignées. Tracez l'intersection entre les traverses et les supports de la roue.

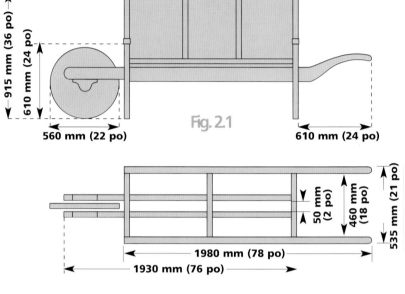

1370 mm (54 po)

915 mm (36 po)

610 mm (24 po)

560 mm (22 po)

Fig. 2.1

610 mm (24 po)

535 mm (21 po)

460 mm (18 po)

50 mm (2 po)

1980 mm (78 po)

1930 mm (76 po)

1 Construisez le « châssis » auquel vous attacherez le siège et le piètement. Faites un gabarit de contre-plaqué pour les poignées (A) (fig.1.1) et découpez-les dans les planches 140 x 38 mm. Posez la planche sur deux chevalets et coupez avec une scie circulaire et une scie à chantourner. Polissez les découpes avec une ponceuse électrique.

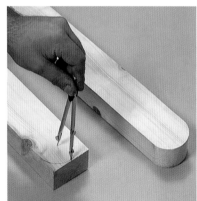

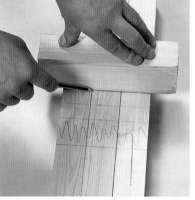

Fig. 1.1

610 mm (24 po)

1370 mm (54 po)

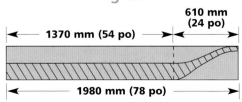

1980 mm (78 po)

3 Utilisez un compas pour tracer les courbes aux extrémités des supports de roue. Coupez-les avec une scie sauteuse et poncez tous les chants ; c'est plus facile de le faire maintenant qu'après avoir fini le banc.

4 Mesurez et tracez l'emplacement de l'assemblage à mi-bois entre les traverses et les supports de roue. L'écartement entre les supports de roue est de 50 mm (2 po). Coupez les encoches à une profondeur de 25 mm (1 po) avec une scie à tenon et retirez le surplus avec un ciseau à bois.

5 Percez, fraisez et vissez les poignées aux traverses avec deux vis par côté. Ensuite, mettez de la colle sur l'assemblage à mi-bois, sur les traverses et les supports de roue. Vissez les traverses aux supports de roue. Le châssis devrait être alors assez solide.

PEINDRE

Assurez-vous de peindre la roue avant l'assemblage. Il est beaucoup difficile de la faire une fois le banc monté.

ASSEMBLAGE D'ÉQUERRE

Il est important que le banc soit bien assemblé d'équerre au moment critique de l'assemblage des accoudoirs et du rail supérieur du dossier – les éléments qui rendront le banc plus résistant. Utilisez une équerre pour vérifier les assemblages et regardez toute la surface du banc pour vérifier que tout est en ordre.

6 Posez les pieds avant (D) avec les pieds arrière (E). Tracez des lignes en travers des pieds à 305 mm (12 po) et 445 mm (17¾ po) à partir d'un bout. C'est là qu'elles seront vissées aux poignées. Percez et fraisez des trous bien propres pour les vis et les bouchons.

7 Vissez et collez les pieds avant et arrière aux poignées. Le banc reposant sur l'arrière, tracez une ligne un peu en avant des bords des pieds de chaque côté et chanfreinez le chant avec un rabot. Chanfreiner donne un aspect plus professionnel à la pièce.

8 Une fois les pieds fixés au châssis, percez, fraisez et vissez les accoudoirs (F) aux extrémités des pieds avant. Ils devraient dépasser de 18 mm (¾ po) à l'avant. Mesurez 610 mm (24 po) à partir du haut des pieds arrière et marquez le point où fixer les accoudoirs. Percez, fraisez et vissez à travers le pied arrière pour fixer l'accoudoir en deux points.

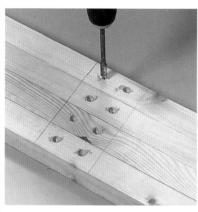  

9 Collez et clouez les lattes du siège (H) aux trois traverses, en travaillant d'avant en arrière. Utilisez une cale d'épaisseur de 12 mm pour des espaces réguliers. Placez la latte avant avec précision car elle déterminera la position des autres. Faites une encoche sur la latte arrière du siège autour du pied arrière. Tracez l'encoche avec minutie avant de faire la découpe. Enfin, tapez les têtes de clous avec un chasse-clou pour les enfoncer sous la surface du bois.

10 Placez le rail supérieur arrière (G) au centre du bout des pieds arrière pour qu'il dépasse des deux côtés de la même façon. Percez, collez et vissez. Mesurez et coupez des longueurs de planchettes (I) pour les emboîter sur les pieds arrière, le rail arrière et la dernière des lattes du siège (fig. 10.1). Collez, serrez et clouez-les, à fleur des bords arrière du banc. Ces planchettes vont soutenir le contre-plaqué du dossier (J).

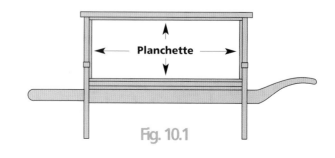

Planchette

Fig. 10.1

UN DOSSIER AVEC MOULURES

Au lieu de coller des séparations verticales sur le dossier, vous pourriez utiliser des moulures. Vous pouvez acheter des moulures dans n'importe quel magasin de bricolage et faire des onglets avec la scie à dos ou la boîte à onglet.

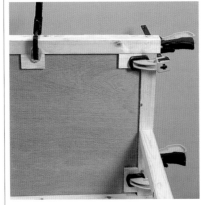

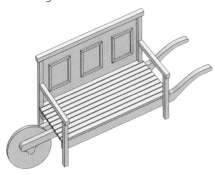

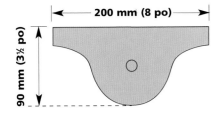

200 mm (8 po)

90 mm (3½ po)

Fig. 12.1

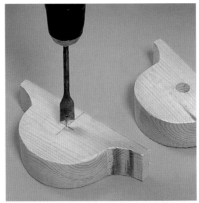

11 Collez et serrez le dossier de contre-plaqué aux planchettes (le dos peut être vissé aux planchettes, mais les têtes des vis sont difficiles à cacher si vous souhaitez une finition naturelle plutôt que peinte). Mesurez et coupez le panneau des cloisons (K). La cloison horizontale doit s'emboîter sur le dessous du dossier entre les pieds et les deux verticales entre le rail du dessus et la séparation horizontale. Collez-les au dossier, en plaçant les séparations verticales à 457 mm (18 po) du bord intérieur de chaque pied arrière.

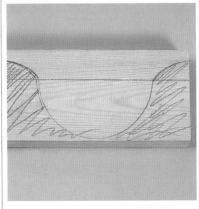

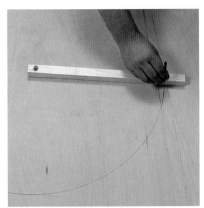

12 Tracez les formes des logements des axes (L), avec le gabarit montré fig. 12.1. Utilisez un objet rond pour faire les courbes, en prolongeant les lignes de chaque côté. Ombrez les zones gâchées et coupez avec une scie sauteuse.

13 Percez les trous pour l'axe avec une mèche trois pointes du même diamètre que la tige en acier. L'axe doit s'ajuster exactement dans le trou (notez que la roue pivote en fait sur les roulements étanches qui sont fixés sur le moyeu de la roue). Même si cette opération peut être réalisée à la main, vous serez vraiment certain que les trous sont tous percés à la perpendiculaire de la face du logement avec une perceuse à colonne.

14 Ensuite, faites la roue (M). Avec un compas fait maison, tracez un cercle de diamètre 560 mm sur le contre-plaqué. Vous pouvez attacher un morceau de ficelle à un clou, enfoncé dans le contre-plaqué et nouer un crayon à 280 mm de distance ou clouer une latte dans l'épaisseur et percer un trou de crayon à cette distance. Coupez la roue avec une scie sauteuse, dans le sens du bois, pour réduire l'arrachage des fibres.

D'AUTRES DOSSIERS

Pour une allure plus légère, vous pourrez faire le dossier avec des lattes verticales ou horizontales à la place du contre-plaqué. Si vous utilisez des lattes horizontales pour le dossier, vissez-les aux pieds. Vous aurez peut-être besoin d'ajouter une équerre au centre pour consolider les lattes. Vous pourrez faire le rail du dessus plus décoratif en le coupant plus long que les autres.

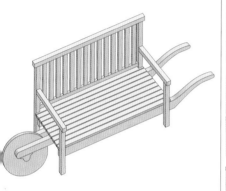

15 Percez un trou dans la roue pour loger les roulements étanches et l'axe. Commencez par percer autour de l'avant-trou en utilisant une mèche papillon de la bonne dimension. Faites cela des deux côtés de la roue. Faites attention de le percer à la bonne profondeur pour le roulement. Ensuite prenez la bonne mèche pour percer à travers le centre de la roue. Le roulement doit s'emboîter correctement dans l'embrèvement et l'axe doit s'encastrer dans le trou central. Essayez tout d'abord sur un morceau de chute pour définir les mèches et profondeur de perçage. Une fois que vous aurez percé le trou central et l'embrèvement, vissez les roulements.

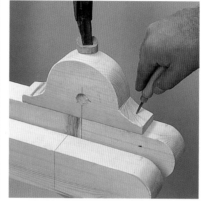

16 Adaptez les logements des axes aux supports de roue. Tout d'abord, percez les avant-trous d'angle à travers les logements pour que les têtes de vis soient parallèles à l'avant. En tournant le banc à l'envers, placez les deux logements, à environ 50 mm des extrémités des supports de la roue. Vérifiez qu'ils sont bien droits tous les deux et en exact alignement l'un avec l'autre, serrez-les et tracez les emplacements des vis avec une alêne.

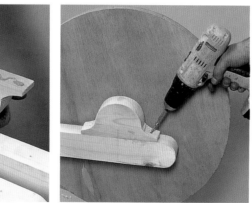

18 Vissez les logements de l'axe aux supports de la roue. Avant que la colle ne prenne, contrôlez que la roue ne se bride pas lorsqu'elle pivote. Enfin, appliquez la finition du banc.

17 Avant de coller, faites un essai à sec. Assemblez tous les éléments comme sur la fig. 17.1 et fixez les logements avec des vis mais sans colle. Cela vous permettra de déterminer la longueur correcte pour la tige de métal. Insérez l'axe dans la roue et fixez les logements à chaque extrémité de la tige. Vous pourrez faire entrer l'axe avec un marteau. Passez la roue entre les supports et vissez les logements. Ajustez si nécessaire en raccourcissant l'axe. Ré-assemblez les éléments, en ajoutant la colle cette fois-ci.

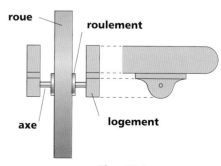

Fig. 17.1

roue

roulement

axe

logement

POINTS POSITIFS

INTIMITÉ
STYLE CONTEMPORAIN
MEILLEUR AGENCEMENT

**PLANTES REMARQUABLES
VIGNES VIVACES**

VIGNES À FLEURS

Akebie (*Akebia quinata*),

Arbre corail (*Jatropha multifida*),

Clématites à petites fleurs (*Clematis montana*),

Clématites tangutica (*Clematis tangutica*),

Gesse à larges feuilles (*Lathyrus latifolius*),

Glycine de Chine (*Wisteria sinensis*),

Glycine du Japon (*Jasminum mesnyi*),

Hortensia grimpant (*Hydrangea anomala*, spp. Petiolaris),

Hydrangée de Chine (*Schizophragma integrifolium*),

Hydrangée du Japon (*Lonicera japonica*),

Jasmin blanc (*Schizophragma hydrangeoides*),

Jasmin à nombreuses fleurs (*Jasminum polyanthum*),

Rosiers grimpants (*Rosa* cvs., « New Dawn », « Dortmund »),

Trompettes de Virginie (*Campsis radicans*),

Weigelia panaché (*Weigela florida* « Variegata »).

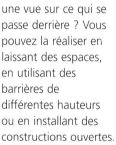
Clématites
à petites fleurs

FEUILLAGES DE VIGNES

Aristoloche (*Aristolochia durior*),

Lierre d'Asie (*Hedera colchica*),

Lierre de Boston (*Parthenocissus tricuspidata*).

Lierre d'Asie

◀ *Une allée de feuillages attire l'œil sur la pagode de treillis, sanctuaire discret dans un jardin en délire.*

Séparations et arches

Le paysagiste aujourd'hui se pose la question de créer une série d'espaces de plein air reliés entre eux. La végétation naturelle peut offrir différents espaces dans votre jardin, mais elle n'est pas toujours à la bonne place ou prend trop de temps à pousser. C'est pour cela que vous commencerez à construire vos propres « murs » avec des barrières, des treillis et des tonnelles ou en faisant pousser vos propres haies de plantes.

CHOISIR LES CLOISONS POUR VOTRE JARDIN

La façon la plus évidente et certainement la plus rapide de cloisonner votre jardin est d'installer une palissade. Les murs et les clôtures en dur divisent un jardin en zones discrètes, mais ils peuvent aussi diriger le vent et créer des turbulences. Choisissez des barrières ouvertes qui pourront absorber ou filtrer le vent et diminuer sa morsure, sans avoir besoin d'être très solides. Vous ferez des barrières ouvertes comme les treillis à partir de bois plus fin et pour lequel vous n'aurez pas besoin de faire des fondations importantes. Bien sûr vous aurez aussi la solution naturelle : des divisions que vous plantez ou des plantes que vous faites pousser.

- Avez-vous besoin de cacher ou protéger un espace de votre jardin ? Peut-être souhaitez-vous créer des frontières pour éloigner les inconnus ou conserver une certaine intimité. Dans ce cas, pensez à de solides panneaux arrimés, à des pôles ronds ou carrés enfoncés sous terre. Faites pousser des plantes qui grimperont sur la palissade ou démarrez une haie juste en bordure pour cacher les panneaux.
- Cherchez-vous à créer des espaces avec des ouvertures cachées ? Vous pouvez aménager des arches dans les séparations en imbriquant différentes longueurs de barrières. Les bordures douces et colorées de la palissade masqueront la différence si vous placez les barrières avec soin.
- Souhaitez-vous une barrière quasi transparente, avec une vue sur ce qui se passe derrière ? Vous pouvez la réaliser en laissant des espaces, en utilisant des barrières de différentes hauteurs ou en installant des constructions ouvertes.

Vous pouvez réaliser ceci avec des treillis, des balustrades en fer forgé ou une barrière vivante. Le côté attirant de cette solution est que vous pouvez créer une certaine distance et une profondeur sans avoir à renier la spécificité d'un endroit.

- Est-ce que l'entretien est un problème ? Est-ce une cloison pour le long terme ou une nécessité à court terme ? Pour une solution rapide, vous pourrez installer un écran léger de treillis décoratifs et de perches fines plutôt qu'une barrière solide ou une haie. L'écran n'est pas une installation compliquée et est suffisamment intéressant pour que vous n'ayez pas à le cacher avec des plantes grimpantes.
- Souhaitez-vous avoir la possibilité de bouger les cloisons et de créer un jardin en constante évolution ? Les bacs de plantes et les buissons sont une solution idéale, offrant mobilité et longévité, même si vous devrez faire attention aux emplacements ainsi qu'aux conditions climatiques pour certaines variétés.

La richesse des compositions

La plupart des cloisons et des embrasures de porte sont réalisées en bois, avec des parties de treillis, mais vous pouvez aussi acheter (ou fabriquer) des arches en fer forgé, des balustrades et des cadres de plantes grimpantes. Pour des divisions naturelles, choisissez une haie ou des barrières en osier.

LE BOIS

Les divisions en bois sont appréciables dans les jardins, car le bois s'intègre bien dans la plupart des styles. Quels que soient les types de bois, ils sont en général plus épais que les cadres en fer forgé, ainsi ils attireront plus le regard. La beauté du bois réside dans le fait qu'il est facile à utiliser et relativement bon marché ; le bois pré-traité est particulièrement pratique. Les cloisons de bois pourront s'avachir après une dizaine d'années mais elles ont un bon rapport qualité/prix. Un autre avantage du bois est sa grande diversité. Vous pouvez utiliser des sections rondes pour une atmosphère plus douce et vous trouverez des panneaux de toutes les tailles et formes. Des panneaux de treillis, en losange ou de forme carrée peuvent compléter une barrière solide ou le haut d'un mur pour plus de protection, sans pour cela être écrasants. Recherchez dans les scieries ou les magasins de bricolage des assemblages spéciaux si vous voulez ajouter des sections de treillis à vos clôtures existantes. Il est facile de créer un bel effet avec des treillis en les coupant simplement aux dimensions. Quand vous achetez du bois pour construire une cloison, il faut que vous vous assuriez que le bois a bien été traité ou alors il faudra le traiter vous-même de la couleur de votre choix.

◀ *Cette porte en arc de cercle procure un bel effet dans ce paysage d'hiver et abritera en été de nombreuses plantes.*

▲ *La couleur pâle et la hauteur de cette pyramide décorative en bois permettent de marier les bouquets de clochettes violet foncé en arrière-plan aux iris du premier plan.*

◀ Le bois naturel de la pergola et le vert du coussin de siège se marient parfaitement avec les fleurs et le feuillage rouges, roses et verts, créant une scène sereine et naturelle, idéale pour la contemplation.

◀▶ Ces rosiers grimpants autour de la porte en arche au milieu d'une clôture (à gauche) créent un effet romantique et traditionnel. La porte blanche (à droite) est nette et légère, créant une invitation à explorer les frontières.

LE FER FORGÉ

Le fer forgé est le métal le plus prisé pour construire des séparations, des arches et des passages. Sa surface sinueuse offre une apparence douce, et la traditionnelle finition noire est neutre par rapport à toutes les couleurs présentes dans un jardin. Vous pourrez utiliser des sections plus fines que le bois car c'est plus résistant. Le métal est plus facile à incurver pour les agencements comme les arches. Mais faites attention à ne pas trop mélanger les matières – une porte en bois avec une barrière en fer forgé peuvent être disgracieuses.

Même si le fer forgé est plus résistant que le bois, il nécessite un entretien plus important car il rouille facilement si la peinture s'écaille. Vous devrez aussi frotter les surfaces à la laine d'acier tous les deux ou trois ans et passer une nouvelle couche de peinture. Prenez soin de prendre un fer protégé d'une couche d'oxyde d'aluminium.

Le fer forgé a tendance à être plus cher que le bois et plus difficile à travailler, même s'il est généralement plus facile et moins coûteux à installer. Les séparations de fer forgé sont souvent des cadres pour les plantes grimpantes, avec des longueurs de grillage pour guider et supporter les grimpants. Considérez que cela est un investissement à long terme. Elles donneront un air formel à votre jardin, même si cet effet peut être atténué par des branches, des feuilles et des fleurs poussant autour d'elles.

▶ *Le fer forgé est parfait pour créer un effet sculptural dans un jardin. Il apparaît dans de nombreux designs.*

◀ ▶ *Les potagers n'ont pas absolument besoin d'être fonctionnels. L'arche en fer forgé couverte de clématites en fleurs (à gauche) est à la fois pratique et belle. Les treillis comme ce design en forme de pyramide (à droite) sont idéaux si vous n'avez pas de place pour une arche.*

LES HAIES

Une haie est l'approche la plus douce et la plus naturelle pour faire une séparation dans un jardin, mais cela demande un soin régulier. Si vous recherchez une protection durant toute l'année, vous aurez certainement besoin d'une haie de persistants. La plupart des espèces poussent d'environ un mètre (8 pieds) en quelques années, mais vous devrez les tailler ou ils seraient hors de contrôle. Bien que vous ayez à les tailler très régulièrement, certains d'entre eux ne repousseront pas là où vous aurez coupé.

Même si de nombreux persistants sont, de façon justifiée, impopulaires parce qu'ils poussent trop rapidement et cachent la lumière, d'autres sont plus doux et plus gérables. Par exemple, le troène pousse vite et forme des petites feuilles vertes toute l'année, mais l'if est très lent à pousser tandis que le laurier se transforme en une haie substantielle avec des feuilles vertes larges et brillantes.

◄ Les haies sont pratiques, parfaites pour l'intimité et structurent le jardin. Le troène est un choix courant car son feuillage tient toute l'année et pousse vite.

Le buis est utilisé pour faire des haies miniatures qui rythment les allées, mais ne vous attendez pas à les voir devenir une vraie séparation de jardin avant une génération ou plus. Vous pouvez planter des arbres fruitiers en treillis, mais pensez aussi à l'espace vital. Différentes espèces de bambous peuvent aussi former une excellente séparation.

BARRIÈRES DE PLANTES

Une clôture en saule possède les qualités des haies et croît très vite. Pour faire pousser un saule, placez des boutures dans le sol à la fin de l'hiver ou au début du printemps. Tant qu'elles sont bien nourries et arrosées les boutures créent des racines et se développent. Vous pourrez tresser les tiges en un treillis qui grandira chaque année. C'est à vous de voir de quelle façon vous souhaitez tailler le saule, mais en terrain humide et fertile vous verrez rapidement votre barrière quasi transparente se transformer en barrière solide. Choisissez avec précaution l'endroit où vous planterez le saule car il aura besoin de beaucoup d'eau.

▲ Le saule tressé crée une œuvre d'art vivante, utilisée comme clôture, cloison ou espace ombragé pour s'asseoir.

▼ ▶ *Cette arche austère (à droite), dans un environnement dégagé, dirige la vue de façon théâtrale. Les lignes lourdes de cette tonnelle (ci-dessous) sont adoucies par la profusion d'alysses poussant sous le banc.*

TONNELLES, ARCHES ET TUNNELS

Les tonnelles sont une source d'inspiration pour de nombreux jardiniers. Il existe littéralement des centaines de modèles, des simples arches aux panneaux de treillis recouverts, avec un banc ou une table qui sont appelés des tonnelles.

Les tonnelles sont très romantiques, surtout si elles forment une petite niche où vous pouvez vous asseoir à l'ombre pour regarder le jardin. L'endroit idéal est face au soleil de telle sorte qu'il accumule beaucoup de chaleur tout en étant protégé par une sorte de « toit ». Beaucoup sont placées à l'ombre d'un arbre, mais prenez garde aux arbres fruitiers qui abriteront peut-être des guêpes en été. Une tonnelle peut devenir un point d'attraction. Rendez-la plus formelle en la peignant avec des éléments de style oriental ou colonial et avec des plantes étroitement imbriquées dans les lignes ou faites-la plus informelle avec des formes naturelles, dans un enchevêtrement de plantes.

Les arches ou les voûtes avec un toit peuvent aussi être appelées des tonnelles. Utilisez-les pour créer des ouvertures d'une partie du jardin à une autre, comme du passage de la pelouse à une zone pavée, avec ou sans porte. Une porte en dur masque ce qui est derrière, mais des portes plus ouvertes comme celles réalisées à partir de métal de balustrade, invitent à regarder ce qui est derrière et suggèrent que vous entrez dans une zone privée. Une arche peut ne

▲ *La couleur de la porte crée un fort contraste qui est repris en écho par l'arche turquoise en treillis de façon plus discrète. Les petits pots de géraniums au pied de la porte peuvent être facilement remplacés par différentes plantes quand ils ne sont pas en fleurs.*

mener nulle part mais simplement briser la monotonie d'une grande étendue. Vous pourrez utiliser des arches pour encadrer une vue spéciale ; dans ce cas une tonnelle plus grande avec un design simple pour ne pas casser la beauté du paysage, pour diriger le regard. Les styles japonais et chinois sont très populaires pour les arches et les tonnelles.

Une arche allongée devient un tunnel qui offre l'ombre et l'excitation de la découverte. Les tunnels sont souvent utilisés pour installer des plantes grimpantes qui peuvent être vues de l'intérieur et de l'extérieur. Vous pourrez utiliser un tunnel comme barrière ou comme passage.

◀ *Les structures en bois n'ont pas besoin d'être rustiques, comme le démontre l'élégante simplicité de ces arches concentriques. Les plantes tombantes adoucissent la structure, entraînant le regard vers la porte plus basse.*

▶ *Les lignes imposantes de ce gazebo en fonte sont parfaitement balancées par les potées d'arbustes symétriquement plantées. Ces mêmes lignes, qui pourraient être austères, sont adoucies par les rosiers grimpants. L'urne centrale, plantée de fougères, est un point de mire subtil et discret.*

LES PERGOLAS

L'ombre est une denrée appréciable dans un jardin et le moyen le plus simple d'en créer est d'installer une pergola sous laquelle vous pourrez vous asseoir ou dîner. Une pergola peut être adossée à la maison pour faire une version moins formelle, protégée de la véranda, ou vous pouvez partir de la véranda pour l'agrandir et réduire le contraste entre la maison et le jardin. Utiliser une pergola est certainement un très bon moyen d'harmoniser le jardin à la maison, tout en procurant aussi de l'ombre. Le design le plus commun est réalisé à partir de quatre piquets

ou plus, assemblés avec des solives recouvertes de lourdes lattes. Les solives et les lattes dépassent du cadre en général ; si les pergolas sont une extension de la maison, elles peuvent également se doubler d'un balcon avec du bois assez résistant.

Vous pouvez planter des grimpants à la base de la pergola pour adoucir les angles, soit en pots soit dans le sol. Pensez à la façon dont vous allez tisser les plantes au sommet de la pergola et utilisez des variétés similaires pour créer une unité. Vous pourrez aussi planter quelque chose de très feuillu comme une vigne pour couvrir le toit et des plantes à fleurs plus légères, comme des clématites pour grimper le long des piquets.

LES FORMES DE TREILLIS

Réalisés à partir de fines languettes de bois, clouées et assemblées, les panneaux de treillis sont légers et fabuleusement polyvalents. Vous pouvez utiliser un treillis sur un mur bas, pour remplir les espaces au-dessus ou entre les piquets de la pergola.

Les treillis étaient utilisés à la base pour faire pousser des plantes grimpantes, mais cela ne signifie pas qu'ils doivent rester sobres. Pour conserver une notion de l'espace, une longueur de treillis avec un large carré ou losange vous permet d'apprécier les distances, de laisser entrevoir certaines parties du jardin ou de masquer celles que vous ne voulez pas voir. Certaines personnes, par exemple, pourront ne pas apprécier la vue du potager et préférer des espaces plus formels. Les motifs en losange sont moins formels que les formes carrées. Une longueur de treillis pourra donner l'impression

▼ *Ces piquets, photographiés sur une plage, auraient l'air aussi extraordinaires dans un jardin comme sculpture ou treillis.*

▲ ▶ *Un porche, créé à partir d'une pergola de chèvrefeuille, est un signe de bienvenue pour les invités (ci-dessus). Une clôture de treillis (à droite) donne une notion d'espace et de profondeur à ce jardin classique.*

d'une barrière solide et imposante, c'est pourquoi vous réfléchirez aux possibilités de placer des treillis avec des trouées de lumière. Si vous utilisez les angles avec intelligence, ces brèches pourront être masquées jusqu'à ce que vous les trouviez. Vous pourrez aussi couper de plus grandes fenêtres en carré ou en cercle dans les panneaux de treillis pour accentuer une vue en particulier. Quelques-unes de ces fenêtres le long d'un treillis pourront embellir un panneau, perçu à l'origine comme utilitaire. Une longue rangée procure aussi de nombreuses opportunités de faire pousser des plantes grimpantes variées. Vous pourrez trouver des sculptures de treillis en forme d'obélisque. Utilisez-les telles quelles avec une légère couverture de plantes. Prenez soin de la couleur car vous pourrez utiliser des pergolas avec d'autant plus d'effets en les peignant et en les teintant avec des couleurs théâtrales.

▼ La pergola (ci-dessous) estompe les lignes. Les plantes sembleront pousser de la maison.

CHOISIR LA STRUCTURE APPROPRIÉE

Si vous avez besoin de ...	choisissez ...
Barrière de protection	Panneaux de clôture massifs, murs, haies
Clôture souple et résistante	Treillis avec grimpants, haie, barrière de saules, bambous
Masquer la vue	Treillis, barrière avec ouvertures, hauteurs variées
Structures	Treillis en obélisque, sculptures, tonnelles, pergolas
Aménager les allées	Arches, tunnels, pergolas

COMPARAISON DES TYPES DE STRUCTURE

Caractéristiques	Treillis	Barrière	Créations de treillis	Pergolas	Arches
Avantages	Léger, modulable ; pour les grimpants ; protection contre le vent	Protection ; modèles variés	Grand choix de designs facilement transportable	Apporte de l'ombre et de l'espace au dehors ; classique	Polyvalente ; ombre ou cadre de vision grand choix de modèles
Inconvénients	Peut se détériorer ; Prend du temps	Prend du temps à cacher ; le vent peut être pris en entonnoir	Peut se démoder ; pas toujours robuste	Lourd, permanent ; grimpants . entretien ; peut se démoder	Les grimpants poussent lentement
Facilité d'installation	Facile	Assez facile	Très facile	Difficile	Facile à difficile, dépend de la structure et du modèle
Objectifs clés	Pour les grimpants et pour cacher la vue	Pour cacher et diviser des zones	Comme création de jardin et pour les grimpants	Pour créer de l'ombre et un espace extérieur	Cloisons, ombre, endroit où s'asseoir, vue
Coût	Faible	Moyen	Élevé pour ce que vous obtenez	Le bois et les installations peuvent être coûteux	Moyen à élevé

◄ ▲ Une grande pergola (ci-dessus) sobre, avec une fontaine à oiseaux au centre, crée un endroit pour s'asseoir au milieu d'une grande allée. Les treillis en forme de fenêtre gothique (à gauche) ajoutent un intérêt de structure même si vous ne plantez rien.

Tuteurs

MATÉRIEL REQUIS

POUR LE CÔNE

Gabarits de contre-plaqué (A)
1 pièce de contre-plaqué marine
de 600 x 600 x 20 mm

Pieds (B)
8 tasseaux traités en auto-clave
de 2000 x 38 x 19 mm

Traverses (C)
8 tasseaux traités en auto-clave
de 1000 x 38 x 19 mm

Quincaillerie et finitions
40 vis galvanisées ø 8 x 40 mm

POUR LA PYRAMIDE

Gabarits de contre-plaqué (A)
1 pièce de contre-plaqué marine
de 500 x 500 x 20 mm

Pieds (B)
4 tasseaux traités en auto-clave
de 2000 x 38 x 19 mm

Longues traverses (C)
4 tasseaux traités en auto-clave
de 1700 x 38 x 19 mm

Petites traverses (D)
8 tasseaux traités en auto-clave
de 1000 x 38 x 19 mm

Quincaillerie et finitions
40 vis galvanisées ø 8 x 40 mm

POUR LE CYLINDRE

Gabarits de contre-plaqué (A)
1 pièce de contre-plaqué marine
de 1500 x 500 x 20 mm (20 x 60 x ¾ po)

Pieds (B)
4 tasseaux traités en auto-clave
de 2000 x 38 x 19 mm

Traverses (C)
8 tasseaux traités en auto-clave
de 1800 x 38 x 19 mm

Quincaillerie et finitions
36 vis galvanisées ø 8 x 40 mm

Outils
Trousse à outils de base
avec grande équerre

Un tuteur a vraiment une utilité lorsque vous cherchez un support pour vos plantes grimpantes favorites. Les trois tuteurs proposés sont réalisés en contre-plaqué et tasseaux et sont basés sur trois formes géométriques simples – une pyramide, un cône et un cylindre. Chacun de ces tuteurs peut être adapté pour convenir à n'importe quelle taille de plante. Si vous prévoyez d'en fabriquer un beaucoup plus petit que ceux présentés ici, utilisez des tasseaux et du contre-plaqué plus fins pour qu'il n'ait pas l'air trop volumineux. Plantez simplement les tuteurs dans le sol ou piquez-les comme vous le feriez avec le banc circulaire (page 62). Si vous prévoyez de faire pousser des vivaces sur le tuteur ou de le laisser dans le jardin tout l'hiver, faites les pieds plus longs pour qu'ils puissent être enterrés profondément.

▶ *Les tuteurs forment des décors qui attirent le regard et donnent une hauteur immédiate au jardin. Vous pourrez faire pousser une grande quantité de plantes grimpantes aux couleurs vives sur ceux-ci.*

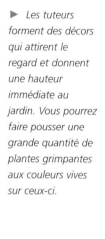

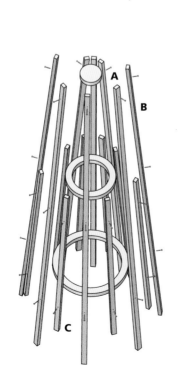

CÔNE

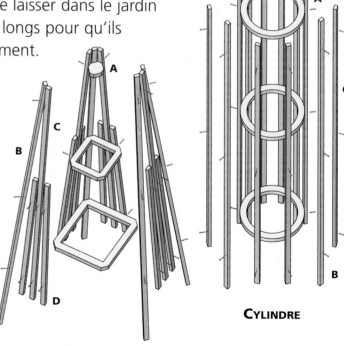

PYRAMIDE

CYLINDRE

1 Clouez une des planchettes au centre du contre-plaqué (A). Percez des trous dans la planchette à 175 mm, 400 mm et 600 mm (7, 16 et 24 po) à partir du clou. Passez un crayon à travers chaque trou et dessinez trois cercles. Percez trois autres trous de 40-50 mm (1½-2 po) à l'intérieur des trois premiers et utilisez-les pour tracer un trait à l'intérieur de chaque cercle. Sciez à la scie sauteuse.

LE CÔNE

Construit autour d'anneaux concentriques de contre-plaqué, le tuteur en cône est habillé de fins tasseaux. En faisant des coupes judicieuses, il est possible de réaliser les cercles à partir d'une seule pièce de chute de contre-plaqué. Notez comme le point du cône est raccourci car les traverses convergentes sont difficiles à réunir.

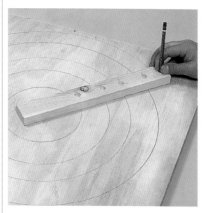

2 Coupez les tasseaux pour les pieds (B) à la longueur souhaitée, mais faites-les tous de la même longueur. Posez-les sur le sol et utilisez une grande équerre pour tracer les points de fixation au contre-plaqué.

4 Espacez les traverses régulièrement (C) entre les jambes, à l'œil ou en utilisant un mètre et percez puis vissez aux cercles. En fonction des conditions climatiques locales et de l'importance du gel, les pieds seront coupés entre 150 et 600 mm (6 et 24 po) plus longs que la hauteur désirée de façon à pouvoir les planter assez profondément dans le sol. Faites la finition du cône avec une teinture et une protection pour bois.

3 Tracez la position des pieds sur les cercles avant d'assembler le cône – les pieds doivent être espacés régulièrement autour de la circonférence. Les cercles du dessus et du dessous doivent être espacés de 150 mm (6 po) du haut jusqu'au sol (et non jusqu'au bout des pieds) respectivement. Le cercle du milieu sera placé à la moitié entre le cercle du haut et celui du bas. Il est plus facile de fixer le sommet et la base en premier, puis de pousser celui du milieu en place et de le fixer quand il est bien placé. Percez et vissez les pieds aux cercles de contre-plaqué, en utilisant un lourd piquet pour supporter la structure tandis que vous travaillez. Une fois que vous avez vissé quatre pieds sur le tuteur, celui-ci sera assez solide pour être posé à la verticale et tenir tout seul, vous permettant de fixer les autres pieds.

1 Sur une planche de contre-plaqué, faites trois carrés de 500 mm (20 po), 325 mm (13 po) et 125 mm (5 po) de côté. Le gabarit du dessus est dur et les pièces en-dessous sont coupées dans des bandes de 40-50 mm de largeur. Percez des trous d'accès et coupez les carrés avec une scie sauteuse ou une scie à chantourner.

LA PYRAMIDE

Comme pour le cône, les gabarits pour le tuteur de la pyramide peuvent être découpés dans une pièce de chute de contre-plaqué. Ce tuteur a quatre pieds, un à chaque coin et chaque côté est habillé d'un grand tasseau et de deux petits. Vous pouvez modifier l'habillage et créer le design qui vous plaît.

2 Coupez les coins des carrés de contre-plaqué pour laisser un bord aplani d'environ 40 mm (1½ po) de large. Placez les gabarits sur un lourd morceau de bois ou même un rondin et percez, puis vissez les pieds sur les bords aplanis du contre-plaqué (étape 3, page 112).

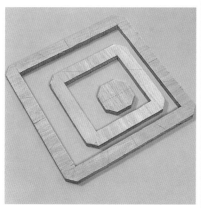

3 Placez les longues traverses (C) sur les gabarits, au centre entre les pieds. Percez et vissez-les tous aux trois gabarits. Notez que les longues traverses s'arrêtent avant les pieds au sommet.

4 Les traverses sont vissées au contre-plaqué de telle façon qu'elles soient arasantes sur le sol une fois le tuteur remis d'aplomb. Vous pouvez fraiser les trous. Les têtes des vis s'enfonceront sous la surface des tasseaux, donnant une finition plus nette.

5 Placez les petites traverses (D) entre les pieds et les longues traverses. Percez et vissez-les aux gabarits du milieu et du bas seulement. Faites les finitions avec une teinture et une protection claire pour bois ou appliquez un conservateur déjà préparé.

1 Pour faire les gabarits des cercles (A), faites un compas comme pour le cône (étape 1, page 111). Mesurez et percez deux trous dans le compas qui vous permettront de tracer un cercle d'un diamètre de 500 mm (20 po) et d'une largeur de 40-50 mm (1½-2 po).

LE CYLINDRE

Vous avez besoin de plus de contre-plaqué pour faire les gabarits de ce tuteur car les anneaux ne s'imbriquent pas les uns dans les autres. La construction est simple, avec quatre pieds et huit traverses d'égale longueur mais faites attention à bien marquer la position des traverses sur les gabarits pour être sûr qu'ils sont espacés régulièrement.

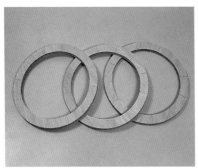

2 Percez un trou d'accès dans le contre-plaqué et découpez les gabarits à l'aide d'une scie sauteuse. Tracez et coupez les deux garabits restants de la même façon.

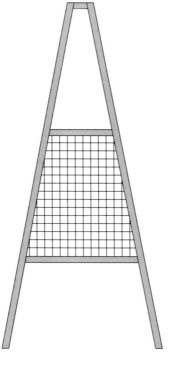

UNE AUTRE IDÉE DE DÉCORATION

Vous n'avez pas besoin des tasseaux pour décorer les tuteurs. Vous pouvez fixer les pieds de bois aux gabarits et combler les espaces entre eux avec des filets. Vous pouvez aussi remplir certains espaces et en laisser d'autres ouverts.

3 Tracez les pieds (B) là où vous avez l'intention de fixer les gabarits. Percez les avant-trous. (étape 3, page 112).

4 Utilisez un poteau ou un piquet pour soutenir les gabarits pendant que vous fixez les pieds. Placez-les avec un écartement régulier autour des gabarits et vérifiez les positions des gabarits par rapport aux paires de pieds opposés, en évaluant la distance à l'œil ou avec un mètre-ruban. Une fois que vous aurez fixé les pieds, vous pourrez si vous le souhaitez redresser la structure pour fixer les tasseaux.

5 Vissez les tasseaux (C) aux gabarits, en faisant attention qu'ils soient régulièrement espacés. La moindre erreur sera apparente sur le cylindre du tuteur dans la mesure où l'alignement de ses côtés le définit. Prenez soin d'aligner les tasseaux sur le dessus des pieds. Finissez en appliquant une teinture ou un conservateur de couleur ou transparent.

DES GABARITS DE BIAIS POUR UN MEILLEUR AJUSTEMENT
Nous avons essayé de proposer une construction simple pour ces tuteurs, mais le cône et la pyramide seront plus solides si vous coupez les angles des gabarits en biais. Pour faire cela, inclinez la scie pour les découpes autour des bords extérieurs. Les pieds et les tasseaux seront plus résistants sur les gabarits.

Panneaux de treillis

MATÉRIEL REQUIS

POUR LE TREILLIS EN ARCHE

Gabarit
1 feuille de contre-plaqué marine
de 2440 x 1220 x 3 mm (48 x 96 x ⅛ po)

Treillis (A)
20 lattis de 2m x 30 x 13 mm
(80 x 1¼ x ½ po)

Garniture (B)
6 bandes de contre-plaqué marine
de 1,8 m x 38 mm x 3 mm
(72 x 1½ x ⅛ po)

Quincaillerie et finitions
Environ 150 clous galvanisés de 30 mm

Protection pour bois, peinture,
teinture, vernis

Outils
Trousse à outils de base

L es panneaux de treillis standards sont disponibles dans les jardineries et les magasins d'outillage, mais qu'advient-il si vous voulez un format non standard ? Heureusement, ces panneaux de treillis sont rapides et faciles à construire. La seule astuce est de réfléchir à la forme que vous désirez et de la tracer sur du contre-plaqué fin. Pendant la construction, le treillis sera instable et difficile à clouer. Mais plus vous aurez assemblé, plus les panneaux seront rigides. Les lattis utilisés ici donneront aux panneaux une résistance supplémentaire et une apparence plus intéressante que les versions commerciales. Cela permet d'ajuster la taille des espaces entre les lattis ou de créer des fenêtres et des entrées dans les panneaux.

▶ *Les treillis sont un moyen facile de réaliser des écrans, des arches, de procurer une précieuse surface pour les grimpants, et d'ajouter une pincée de couleurs à votre jardin.*

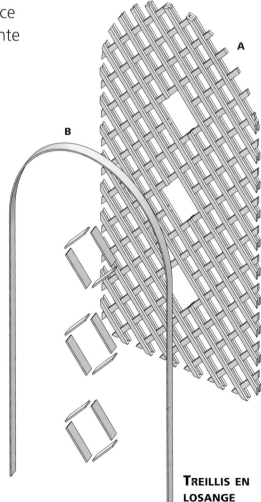

TREILLIS EN ARCHE

TREILLIS EN LOSANGE

NOTE :

En fonction de sa provenance, le contre-plaqué se présente en feuilles de 1200 x 2400 mm ou 1220 x 2440 mm. Si vous avez une feuille légèrement plus petite, arrondissez simplement les mesures à 1200 mm, 600 mm et 300 mm respectivement.

1 Reportez le gabarit de la fig 1.1 sur la feuille de contre-plaqué. Pour la courbe, utilisez un compas fait d'un morceau de latte cloué au centre et à 610 mm (24 po) du haut de la feuille. Percez les trous pour le crayon dans la latte à 275, 305, 580 et 610 mm (10¾, 12, 22¾ et 24 po) en partant du clou. Tracez les

2 Vous avez maintenant trois gabarits, A, B et C. Posez les gabarits A et C sur le sol et quatre lattes verticales sur eux, à l'intérieur et à l'extérieur de chaque côté de l'arche. Rabotez les quatre lattes centrales aux dimensions. Elles descendent au sommet de l'arche seulement. Posez grossièrement toutes les lattes horizontales au-dessus des verticales, et rabotez une fois encore pour qu'elles n'empiètent pas sur l'arche. Alignez les pieds des lattes horizontales avec le bord inférieur des gabarits et utilisez des cales de 100 mm d'épaisseur pour obtenir un écartement régulier de bas en haut. Prenez soin que les verticales soient droites, et clouez à travers les trois couches pour les accrocher ensemble. Répétez jusqu'à ce que vous ayez cloué toutes les verticales aux horizontales.

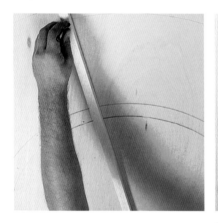

3 Positionnez les deux pièces verticales qui vont au milieu de chaque côté de l'arche. Placez-en une en-dessous et une au-dessus des pièces horizontales et clouez les trois couches pour les accrocher ensemble.

courbes et coupez les bords externes avec une scie sauteuse et les coupes droites avec une scie égoïne. Ne coupez pas la courbe la plus petite – c'est seulement une ligne directrice.

Fig. 1.1

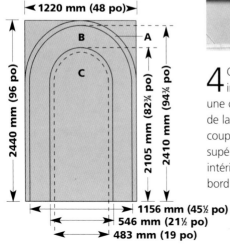

◄ 1220 mm (48 po) ►
2440 mm (96 po)
2105 mm (82¾ po)
2410 mm (94¾ po)
B — A
C
1156 mm (45½ po)
546 mm (21½ po)
483 mm (19 po)

4 Comme le gabarit est maintenant inaccessible, sous le treillis, utilisez une courbe prise sur le bord extérieur de la chute dans laquelle vous avez coupé le gabarit, pour tracer la courbe supérieure de l'arche à raboter. Le bord intérieur de la chute correspond au bord externe du gabarit.

5 Utilisez le compas pour la courbe de l'arche sur les pièces du treillis. Placez-le dans le trou que vous avez utilisé pour le gabarit. La marque d'origine vous servira de guide pour les pièces de l'arche ; toute partie excédentaire peut être coupée avec une scie sauteuse, une fois que vous aurez assemblé le treillis.

6 Clouez les longueurs de lanières de contre-plaqué sur tout le bord intérieur du treillis. Répétez l'opération sur le bord extérieur et appliquez votre produit de finition. Pour ériger l'arche dans le jardin, faites un trou de 300 mm de profondeur (12 po) pour chaque côté, insérez l'arche et remettez la terre, en la tassant.

MATÉRIEL REQUIS

POUR LE TREILLIS

Gabarit
1 feuille de contre-plaqué marine
de 2440 x 1220 x 3 mm (24 x 48 x ⅛ po)

Treillis (A)
28 lattis de 2 m x 30 x 13 mm
(80 x 1¼ x ½ po)

Coffrage (B)
6 bandes de contre-plaqué marine
de 1,8 m x 38 x 3 mm (72 x 1½ x ⅛ po

Quincaillerie et finitions
250 clous galvanisés de 30 mm

Protection pour bois, peinture, teinte,
vernis

Outils
Trousse à outils de base

FORMES EXPÉRIMENTALES

Expérimentez différentes formes en
modifiant les angles des lanières de
lattes et la forme du sommet. Vous
pourrez avoir un sommet carré,
pointu ou avec une courbe douce ou
pointue.

1 Reportez le gabarit de la fig. 1.1 sur la feuille de contre-plaqué. Faites un compas avec un morceau de latte cloué au centre du rectangle et à 610 mm (24 po) du sommet. Percez les trous pour le crayon dans la latte à 580 et 610 mm (22¾ et 24 po) en partant du clou. Tracez les courbes et découpez les formes intérieures et extérieures avec une scie sauteuse. Réglez la fausse équerre sur 45 degrés et faites des lignes indicatives sur l'extérieur du gabarit pour définir l'angle des bandes du lattis. Vous utiliserez le gabarit pour calculer la taille des lattes et couper toutes les lattes du treillis. Coupez les pièces un peu plus longues pour les raboter à fleur avec le bord du gabarit un peu plus tard.

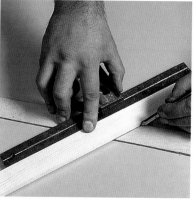

2 Prenez une pièce de treillis et placez-la sur une ligne indicative à 45 degrés sur n'importe quel coin du gabarit. Disposez les pièces pour les trois couches intercalées du treillis. En démarrant sur l'un des coins du bas, clouez les couches ensemble, avec les pièces étant bien à angle droit les unes avec les autres. Utilisez une cale de 100 mm (4 po) d'épaisseur pour positionner la rangée suivante, clouez en place et continuez.

4 Une fois le treillis assemblé, coupez trois losanges pour les fenêtres à partir du centre dans les lattes diagonales avec un carré d'intervalle, et en ne commençant pas en-dessous de 600 mm (24 po) à partir du bas du treillis. Alignez les fenêtres avec les bandes de contre-plaqué avant d'appliquer la finition de votre choix. Relevez le treillis comme cela est décrit à la page 118.

3 Quand vous avez cloué toutes les pièces, coupez les extrémités à 45 degrés, pour qu'elles soient à fleur avec les bords du gabarit intérieur. Puis utilisez le gararit extérieur pour tracer la courbe au sommet du treillis. Surélevez le panneau sur des blocs et coupez la courbe avec une scie sauteuse. Clouez une lanière de contre-plaqué sur toute la longueur des côtés et du sommet du panneau en plaçant les clous sur les deux pièces de treillis extérieur ou sur une seule pièce intérieure comme cela est le plus approprié.

◄ 1220 mm (48 po) ►

2440 mm (96

2410 mm (94¾ po)

1156 mm (45½ po)

Fig. 1.1

La tonnelle

Dans les petits jardins, où les arbres sont rares et espacés, une tonnelle offre de l'ombre et un support pour les plantes sans prendre trop de place. Ajoutez un siège avec un dossier et vous aurez créé un lieu de retraite intime ! C'est une charpente, la plus simple possible et une bonne introduction à la construction de structures. Les piquets sont fixés dans le sol avec ou sans béton, et les côtés sont des treillis tout prêts. Nous avons choisi un toit pointu, mais il pourrait aussi être arrondi.

Comme les côtés sont indépendants, vous pourrez modifier le sommet un peu plus tard si votre goût change.

▶ *Cette tonnelle offre un point de vue somptueux au bout de cette pelouse. Vous pourrez la disposer de façon plus discrète sur une bordure ou une zone boisée pour créer une retraite.*

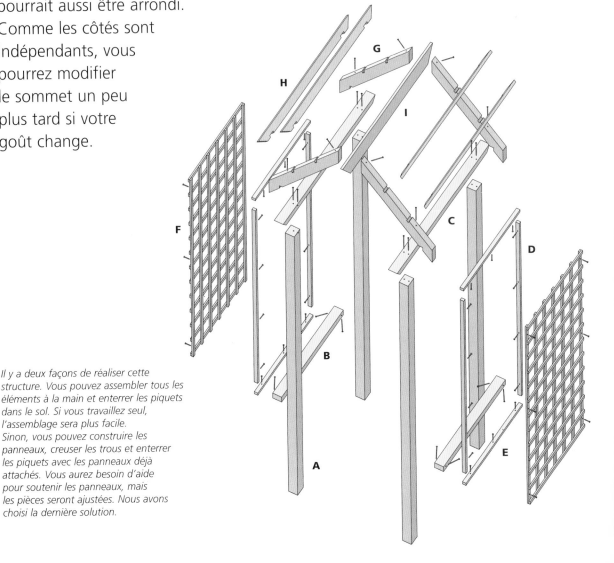

Il y a deux façons de réaliser cette structure. Vous pouvez assembler tous les éléments à la main et enterrer les piquets dans le sol. Si vous travaillez seul, l'assemblage sera plus facile. Sinon, vous pouvez construire les panneaux, creuser les trous et enterrer les piquets avec les panneaux déjà attachés. Vous aurez besoin d'aide pour soutenir les panneaux, mais les pièces seront ajustées. Nous avons choisi la dernière solution.

2 Assurez-vous que les traverses inférieures (B) soient à la bonne longueur pour votre panneau de treillis (F). Percez un trou avec un faible angle aux extrémités d'une traverse inférieure et vissez-la aux piquets avec une vis de chaque côté.

3 Marquez les extrémités des traverses supérieures (C) à 45 degrés avec un rapporteur, puis tracez dans la largeur avec une fausse équerre. Coupez les extrémités avec une scie.

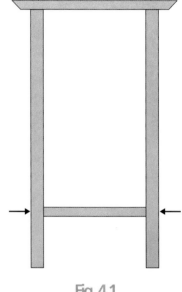

Fig. 4.1

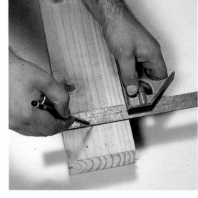

1 Prenez deux des piquets (A) et tracez la position des traverses inférieures (B) 165 mm (6½ po) au-dessus du niveau du sol. Vérifiez que les traits sont au même niveau sur les deux piquets. Souvenez-vous de laisser une bonne marge de piquet sous le treillis pour pouvoir l'enterrer dans le sol. Le trou dans le sol doit être d'un tiers à un quart de la hauteur de la structure. Nous recommandons de laisser 700 mm (28 po) à la fin de chaque piquet si vous les enterrez avec du béton. Marquez les positions sur les deux autres piquets.

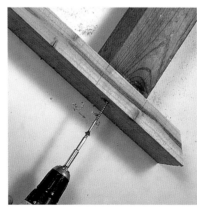

4 Placez les piquets et la traverse supérieure à angle droit et vissez la traverse sur place avec deux vis. (fig. 4.1). La pièce de charpente doit dépasser de plus de 150 mm (6 po) à chaque extrémité. L'assemblage ne sera pas encore très solide, c'est pourquoi vous le laisserez sur une surface plane.

5 Marquez les positions des fixations du treillis (D et E) qui maintiendront le treillis aux piquets et aux traverses, en vous souvenant de placer les fixations à l'intérieur de telle sorte qu'elles seront cachées la plupart du temps.

6 Percez et vissez les fixations du treillis aux piquets et aux traverses supérieures et inférieures. Elles doivent être à 25 mm (1 po) des deux côtés du piquet. Vérifiez qu'elles sont bien alignées.

EXTRÉMITÉS ORNEMENTALES

Plutôt que de couper simplement les extrémités des chevrons, vous pourriez faire des reliefs, des formes différentes avec une scie sauteuse.

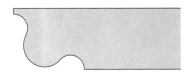

AJOUTER UN SIÈGE

C'est très simple d'ajouter un siège à lattes dans la tonnelle. Vous visserez les traverses un peu plus haut, environ 400 mm (16 po) au-dessus du sol et fixerez les lattes pour le siège. Vous voudrez probablement ajouter un dossier en panneau de treillis et des treillis à côté du siège de chaque côté.

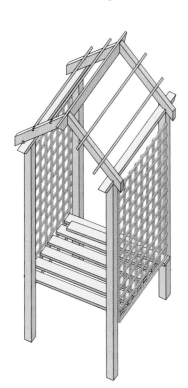

7 Vissez le panneau de treillis (F) aux fixations. Cela renforcera considérablement l'assemblage et il pourra maintenant être déplacé en toute sécurité. Assemblez l'autre côté de la tonnelle de la même façon.

9. Utilisez le dessin pour tracer un des chevrons du toit et calculer l'angle du sommet, puis tracez les positions des tasseaux du toit (H) (fig. 9.1).

8 Si vous n'avez jamais construit un toit, il sera utile de dessiner un plan du toit grandeur nature sur une pièce de contre-plaqué. Cela vous aidera à tracer l'arête et les angles à couper. Ici, nous sommes partis sur l'idée d'une arête à 40 degrés, mais vous pouvez l'ajuster à votre convenance.

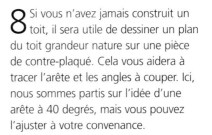

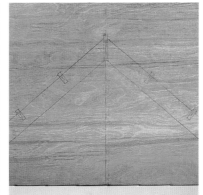

10 Découpez les extrémités des chevrons et serrez-les par paire. Tracez les positions des encoches à grain d'orge, où seront posés les chevrons sur les traverses du haut. Elles sont coupées à 40 degrés des côtés des chevrons du toit et à une profondeur et une hauteur de 30 mm (1 ³⁄₁₆ po).

Logement des liteaux du toit

Assemblage à grain d'orge

Fig. 9.1

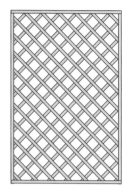

11 Faites les découpes pour les logements des liteaux du toit d'une profondeur de 25 mm (1 po). Mesurez les emplacements pour les logements et l'encoche du faîte jusqu'aux chevrons du toit. Le premier logement devra se placer à 343 mm (13 ½ po) du bout ; le second à 705 mm (27 ¾ po). La coupe verticale pour l'encoche à grain d'orge devra être de 930 mm (36 ⅝ po) en partant de l'extrémité.

12 Serrez les quatre liteaux du toit (H) et tracez les encoches en une seule fois pour les positionner avec précision. Coupez les encoches à une profondeur de 25 mm (1 po). Utilisez un rapporteur pour marquer un angle de 45 degrés à l'extrémité des liteaux qui corresponde à l'angle du bout des traverses supérieures. Coupez à la scie égoïne.

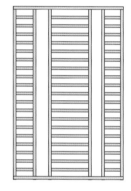

OPTIONS POUR LES TREILLIS

Utilisez des filets ou des cordes au lieu de combler les côtés avec des treillis. Achetez différents styles de treillis ou faites-les vous-même. La forme en losange est un choix possible mais vous pourrez aussi utiliser une série de panneaux de treillis plutôt qu'un seul par côté.

13 Les liteaux du toit et les chevrons se mettent en place maintenant correctement. Vous pouvez assembler chaque partie de votre toit avec les liteaux et les chevrons pour voir comment cela se met en place. Utilisez un rapporteur pour tracer un angle à 45 degrés sur chaque extrémité du faîte et découpez à la scie égoïne.

14 Tracez les positions des chevrons du toit sur le sommet : ils doivent être à 965 mm (38 po) de chaque côté et à 635 mm (25 po) de chaque extrémité. Assemblez le toit en vissant les chevrons au faîte et en les renforçant avec les liteaux. Clouez une planchette temporaire en travers des extrémités des chevrons pour empêcher le toit de se détacher pendant que vous fixez l'assemblage aux traverses supérieures.

D'AUTRES MODÈLES DE TOIT

À la place d'un toit en pointe, vous pourrez créer une arche, mais cette fois en contre-plaqué pour les chevrons. Dans ce cas vous pourrez peindre la tonnelle, même si la teinture et le vernis sont possibles. Vous pourrez aussi faire une simple tonnelle de style japonais avec des chevrons de toit horizontaux légèrement incurvés.

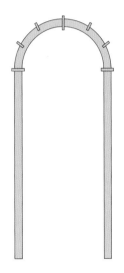

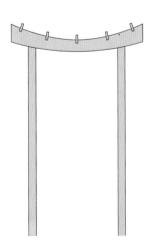

15 Creusez dans le sol quatre trous d'environ 700 mm (28 po) de profondeur et 300 mm (12 po) de largeur, pour que leurs centres concordent avec les emplacements des piquets. Les piquets seront fixés avec du béton ou serrés dans des supports de piquets, boulonnés sur une chape ou un plot de béton, scellé dans la terre. Si vous coulez une chape, nous recommandons de la faire de 300 x 300 mm (12 x 12 po) d'envergure et de 40 à 50 mm (1½ à 2 po) d'épaisseur. Avant de caler les piquets dans le béton, enveloppez les extrémités de polyéthylène contre le pourrissement. Placez la tonnelle dans les trous, un côté à la fois et remplissez chaque trou avec du béton aux deux tiers. Soutenez le côté avec une béquille pendant que vous placez l'autre (voir page 152).

16 Pour avoir plus de stabilité pendant que vous continuez la construction, maintenez la section du toit avec des planchettes temporaires pour vérifier que les mesures des piquets verticaux concordent. Les chevrons du toit pourront être percés et vissés au faîte, en utilisant une vis par chevron.

17 Percez et vissez les tasseaux du toit aux chevrons. Vous retirerez les planchettes juste avant de lever le toit assemblé sur la tonnelle.

18 Demandez à un ami de vous aider à porter le toit sur la tonnelle et de trouver les encoches à grain d'orge sur les traverses supérieures. Quand vous êtes satisfait du résultat, percez et vissez les chevrons aux traverses. Enfin, passez une couche de protection pour bois, teinture ou vernis de votre choix.

LES GRAINES EN QUESTION

LA BONNE GRAINE

▶ Les graines de tournesol sont faciles à extraire mais certains oiseaux préfèrent les pépins de pomme, les amandes.

◀ Les mélanges sont à base de graines variées pour convenir à plusieurs sortes d'oiseaux. La carthame est courante.

▶ Les graines de Nyjer sont des petites graines noires, excellentes pour les chardonnerets.

NOURRITURE FAITE MAISON

• Les rouges-gorges mangent du fromage.

• Les merles, les grives et les étourneaux aiment les pommes.

• Les tarins, les verdiers et les piverts mangent des cacahuètes sans sel, crues. Les éperviers et les juncos apprécient les noix.

• Les loriots sont attirés par les quartiers d'orange et la gelée de raisin.

• Les piverts, les sittelles et les roitelets aiment le suif suspendu à un arbre dans une mangeoire en fil de fer.

• Suspendez des peaux de bananes à côté des serveurs de nourriture pour attirer les mouches, appréciées par les colibris.

• Versez de l'eau salée sur un rondin de bois pour former des cristaux que les serins et les sizerins flammés mangeront.

• Faites vos propres barres à base de suif, de graines pour oiseaux, de beurre de cacahuètes et de farine. Observez quels oiseaux les mangent.

POUR DES OISEAUX PLUS VIGOUREUX

• Déplacez les mangeoires chaque année.

• Nettoyez la nourriture détrempée.

• Ne les nourrissez pas trop.

◀ Cette construction ingénieuse procure non seulement une ombre bienvenue aux grenouilles mais elle offre aussi une très jolie décoration à ce bassin de jardin.

Abris pour la faune

La faune apporte de la vie dans un jardin ; les chants des oiseaux et les animaux en mouvement y ajoutent une dimension essentielle. Les abris pour oiseaux et animaux peuvent être utilisés comme décorations ou disposés simplement pour encourager l'apparition des oiseaux. Prenez soin de votre faune et votre jardin sera éclatant.

Que ce soit pour éveiller la curiosité d'un enfant ou pour apporter de la vie au jardin ou à la terrasse, le chant et la vue des oiseaux, des insectes et des petits animaux sont des valeurs précieuses. Dans la vie urbaine, des provisions de nourriture et des abris peuvent aider les espèces menacées à survivre. Vous pouvez facilement construire vos propres bases de nourriture, abris d'oiseaux et nids et être récompensé par les oiseaux qui reviendront d'année en année.

▼ Il est important de remplir les mangeoires avec des graines appropriées à la population locale, surtout si vous souhaitez attirer des espèces particulières dans votre jardin.

CHOISIR VOS ABRIS POUR LA FAUNE

L'animal le plus dangereux dans un zoo, disait un gardien, est l'homme. Si vous souhaitez attirer la faune sauvage dans votre jardin, il faut que vous choisissiez quels animaux attirer et que vous leur apportiez les abris et la nourriture adéquats.

• Souhaitez-vous que les oiseaux fassent leur nid près de votre maison ? Recherchez différents abris pour oiseaux ou des colombiers en prenant soin de les placer hors de portée des prédateurs.

• Est-il important pour vous d'attirer une variété d'oiseaux en particulier ?

• Cherchez-vous à favoriser toute sorte de vie naturelle ? Vous pourrez procurer des abris pour les insectes et les petits mammifères en leur créant un habitat approprié et cela peut aider la chaîne alimentaire naturelle, même si ces abris pourront attirer d'autres animaux.

• Voulez-vous écarter certains prédateurs ? Vous aurez peut-être à poser des barrières dans certaines parties du jardin pour protéger les plantes et les légumes. Pensez à nettoyer le sol et à retirer le bois pourri si vous désirez écarter les araignées et les serpents.

Distributeurs, nids et baignoires

C'est très naturel de chercher à attirer les oiseaux ; ils sont si colorés et si actifs. Les dispositifs pour les nourrir et les nids sont faciles à construire ou à acheter mais les oiseaux auront aussi besoin de protection si vous avez des écureuils, des renards et d'autres petits animaux dans votre jardin.

PROTÉGER LA FAUNE

Un des plus grands mythes de notre temps est qu'il suffit de nourrir les oiseaux en hiver. Mais en fait, pendant le printemps et l'été la nourriture peut être assez rare, quand les animaux et les oiseaux nourrissent leurs petits. La nourriture et les abris que vous procurez dépendent des espèces que vous souhaitez attirer et celles que vous souhaitez dissuader. Les écureuils, par exemple, sont des animaux très joueurs que de nombreuses personnes admirent pour leur agilité et leur instinct de thésaurisation. D'autres les considèrent comme une vermine, et iront même jusqu'aux dernières extrémités pour les décourager. Une solution est de leur fournir de la nourriture et des loisirs, comme une roue, des tables, des boîtes à mâchonner pour les dissuader de venir dans les mangeoires des oiseaux. Les chats domestiques sont devenus les ennemis numéro 1 des oiseaux, surtout en ville. Dans certaines régions du monde, les chats sont responsables du déclin dramatique de certaines variétés d'oiseaux. Vous pouvez protéger les oiseaux que vous invitez. Des écrans au-dessus des distributeurs suspendus et sous les modèles surélevés retiendront à la fois les chats et les écureuils. Un bloc de bois posé à la sortie d'un nid empêche ces animaux d'approcher et d'attaquer les oisillons. Les perches pour oiseaux leur donne la possibilité de vérifier qu'il n'y a pas de prédateurs avant de commencer à se nourrir. Vous voudrez peut-être attirer des chauves-souris en leur procurant des cachettes. Les chauves-souris souffrent dans les jardins trop bien nettoyés, elles préfèrent les rondins pourris et les troncs.

VOTRE PROPRE FOYER DE NATURE

Où que vous viviez, vous aurez toujours la possibilité de transformer votre cour intérieure en foyer pour la faune. Vous aurez peut-être des plans ambitieux d'environnements favorables pour les insectes, les reptiles, les animaux et les oiseaux mais prenez quelques précautions. Une pile de rondins recouverts de feuilles mortes et de mousse est l'endroit idéal pour les serpents mais elle peut aussi attirer des visiteurs plus ennuyeux. Un moyen simple pour

▲ Ce distributeur a une grille de protection contre les écureuils. La mangeoire est montée sur un piquet mais est aussi dotée d'un anneau qui permet de l'accrocher.

▲ La population des chauves-souris est en déclin. Si vous leur procurez un abri comme celui-ci vous pourrez aider à les protéger et gagnerez une fantastique méthode naturelle de contrôle des parasites.

attirer les animaux dans votre jardin est de ne pas trop le nettoyer. Les arbres morts abritent des nids et des perchoirs pour de nombreux oiseaux. Ils abritent des insectes et des petits animaux, que les oiseaux apprécient pour se nourrir. Les oiseaux vous seront reconnaissants de ne pas couper toutes les fleurs car ils adorent les graines mûries. Les renards vivent sous les remises, ce qui est une bonne raison pour bâtir ces constructions un peu au-dessus du sol plutôt que de couler une chape de béton. Les abeilles feront leurs nids dans les pots d'argile enterrés sous le sol, surtout si vous les garnissez de plantes. Créez un bassin peu profond avec une toile dans un endroit ombragé pour les grenouilles, crapauds et autres amphibiens, pour les reptiles et les insectes.

▼ ▶ *Des colombiers traditionnels (à droite) font une belle décoration de jardin et procurent un abri pour ces jolies créatures. Cette coupe élégante est un distributeur de nourriture (ci-dessous) qui est aussi pratique que stylé. Le toit conique crée un écran de protection climatique pour les graines en cas d'intempéries, pendant que la base procure un bon perchoir.*

▲ ▼ *Il est préférable d'utiliser un distributeur de nourriture (ci-dessus) pour écureuils si vous souhaitez qu'ils ne dérangent pas vos oiseaux. Aidez les oiseaux à nicher en leur donnant des matières douces à ajouter à leurs nids (ci-dessous).*

LES MODÈLES DISPONIBLES

Les jardineries regorgent de produits d'alimentation et de protection pour oiseaux. La plupart des nids et des perchoirs sont en plastique ou en bois et diffèrent en style et en modèles pour convenir aux variétés d'oiseaux ou pour s'adapter à votre jardin et votre maison. Certains des modèles les moins chers pourront convenir au dos de votre porte de cuisine mais ils seront trop frustes comme décoration suspendue à un arbre. Il existe aussi des systèmes pour attacher les mangeoires à une balustrade de balcon. Faites en sorte de procurer le bon environnement à votre faune locale, en protégeant les oiseaux des prédateurs. De nombreux oiseaux recherchent les haies, les arbres et les buissons pour nicher, tandis que d'autres préfèrent construire leurs nids sous les gouttières ou dans les dépendances et les hangars. Pour être certain que les abris conviennent aux oiseaux du coin, parlez avec quelqu'un de votre voisinage, un peu renseigné, un fermier ou quelqu'un d'une agence de la protection des animaux. Il est important d'acheter ou de construire les nids et les mangeoires appropriés.

Vérifiez avec des experts locaux et suivez nos lignes directrices pour une alimentation soignée (page 127). Les oiseaux ont autant besoin d'eau pour se baigner et pour boire, que d'abri et de nourriture.

◄ ▼ Les vasques pour oiseaux existent en de nombreux modèles, du piédestal en fer chamarré avec un oiseau (à gauche) à un ensemble vasque et cadran solaire (ci-dessous). Quel que soit le modèle, le plus important est qu'il soit suffisamment haut pour offrir une protection contre les prédateurs.

▼ Cette mangeoire classique est toute simple – une assiette pour mettre la nourriture. Cet exemple a aussi un toit pour garder les graines – et les oiseaux – au sec.

LES DISTRIBUTEURS DE GRAINES

La mangeoire la plus simple d'un oiseau est la suivante : une sorte de porte-avions où les oiseaux peuvent atterrir pour picorer des petites graines et boire dans un bol d'eau. Un toit protège les repas de la pluie, du gel ou du soleil. Le pain est mauvais pour les oiseaux même si, jeter des bouts de pain dur sur les perchoirs des oiseaux, avec quelques autres graines et restes est très couru. Les mangeoires les plus fantaisistes ont des toits de paille et sont faites en petits rondins, parfois coupés en deux pour une finition plus douce.

De nos jours cependant, vous pourrez trouver des systèmes de distributeurs spéciaux correspondant aux aliments appréciés par vos oiseaux. Un récipient est pratique pour les plus larges graines comme le

◄ Cet abri classique offre à la fois un nid et une bonne protection contre les prédateurs comme les chats du voisinage.

tournesol ou la carthame. Et il est en général construit dans une forme rectangulaire avec un toit en pente. Les trous autour de la base permettent la distribution des graines au fur et à mesure de la demande. Une assiette en-dessous rattrape la nourriture qui est tombée. Le toit agit comme un couvercle pour recharger et les côtés sont parfois transparents pour laisser voir le niveau et l'état de la nourriture, qui sera contrôlée régulièrement à cause de l'humidité.

Certains oiseaux préfèrent la simplicité d'un récipient. Le cardinal rouge, les geais, les moineaux, les sittelles à poitrine rousse et quelques variétés de pinson préfèrent les récipients mais ceux-ci ne conviennent pas pour les plus petites graines comme les graines de Nyjer. Une option est de suspendre un distributeur en forme de tube à un arbre ou une perche. Quelques oiseaux voudront s'asseoir sur la perche pour manger ; d'autres prendront leur repas « à la maison ». Les chardonnerets préfèrent picorer à l'envers, avec la perche au-dessus du trou. Les designs les plus compliqués ont une jupe de protection en fil de fer autour de la partie extérieure, pour protéger les oiseaux des autres animaux. Choisissez et coupez des trous qui conviennent au type de nourriture que vous distribuerez à vos oiseaux et placez de la litière pour chats au fond du distributeur pour absorber l'humidité.

Pour attirer les oiseaux près de votre maison, ajoutez un distributeur de fenêtre. Placez-le sur le rebord ou attachez-le à la vitre avec une ventouse pour voir les oiseaux de l'intérieur de la maison pendant qu'ils se nourriront.

◄ Les distributeurs suspendus sont propres, pratiques et plus modulables que les mangeoires traditionnelles.

◄ Une mangeoire fixée à la fenêtre peut apporter un peu de nature dans votre maison même si vous vivez en appartement.

▲ Les mangeoires allongées avec des côtés en grillage permettent aux oiseaux de s'accrocher.

◄ ► Les mangeoires de colibris (à gauche) n'ont pas de perches car les oiseaux volent sur place pendant qu'ils boivent. Le distributeur pour pivert (à droite) est composé d'une grille de métal pour que l'oiseau puisse s'agripper et piquer à travers pour atteindre la nourriture.

LES NICHOIRS

Les oiseaux qui se reproduisent dans votre jardin auront tendance à se nourrir dans les récipients, les mangeoires mises à leur disposition. Et avec quelques aptitudes, vous pourrez construire un simple nichoir de 18 mm d'épaisseur en un rien de temps. Faites un trou pour l'entrée et de plus petits trous sur les côtés pour la lumière, l'aération et le drainage. Certaines espèces comme les gobe-mouches ou les rouges-gorges ont besoin d'un simple plateau ou d'une plate-forme fixée au mur, avec un toit, pour commencer à nicher. D'autres n'ont même pas besoin de toit. Le problème est que les oiseaux sont plus délicats que vous ne l'imaginez. Le trou ne doit être ni trop grand ni trop petit et doit être placé juste comme il faut, en général sans plate-forme d'atterrissage mais avec une bascule à l'intérieur. Le nichoir peut être beau à l'extérieur, mais c'est la taille et la forme de l'intérieur que les oiseaux vont juger, à partir de janvier, lorsqu'ils chercheront un abri. Certains préfèrent nicher haut, d'autres à quelques centimètres du sol.

Le bois est le meilleur matériau pour construire un nichoir. C'est l'un des plus beaux matériaux de jardin ; il offre une bonne isolation en hiver et en été et il peut être picoré et abîmé. Utilisez du bois de menuiserie non traité, qui procure un bon camouflage et consolidez-le avec du métal pour le protéger des piverts s'ils sont un

problème. Une bonne façon de commencer est d'acheter un équipement pour des espèces spécifiques ; des instructions seront fournies. Les murs sont préférables aux arbres pour fixer un nichoir ou un plateau, car ces derniers sont plus faciles d'accès pour les prédateurs. Essayez de placer les nichoirs à l'abri de la lumière directe et de choisir un endroit qui soit protégé par les vignes et les plantes grimpantes. Les oiseaux ont leur territoire, c'est pourquoi vous aurez plus de succès en choisissant certaines variétés d'oiseaux et en leur procurant ce dont ils ont besoin.

▶ *Si vous voulez placer un nichoir dans un arbre, suspendez-le sur une branche appropriée pour que les prédateurs ne puissent pas y accéder.*

▶ *Des ouvertures rondes permettent aux petits oiseaux de rentrer dans le nichoir, pendant que les papillons entrent à travers des fentes étroites (à droite). Une maison en bois est le modèle le plus courant pour les nichoirs (à droite).*

LES VASQUES POUR OISEAUX

Les oiseaux ont besoin d'eau pour se désaltérer et pour rester propres, mais l'eau les aide aussi à bien digérer. Le meilleur bain est peu profond, jamais plus profond que 50 mm (2 po) au milieu, et il peut être fait, soit en pierre soit en couvercle de poubelle. L'eau sera régulièrement changée car elle devient sale très rapidement et peut transmettre des maladies aux oiseaux. De l'eau de Javel diluée débarrasse des algues mais doit être rincée après le nettoyage. Le vinaigre efface les traces de calcaire.

Placer la vasque est crucial. Les oiseaux mouillés sont les plus vulnérables. Les bains doivent être élevés à 900 mm (3 pieds) du sol au moins, pour décourager les chats et sont situés de préférence près d'un arbre ou d'un buisson pour que les oiseaux puissent s'échapper. Le ruissellement d'une fontaine attirera plus de visiteurs. Les oiseaux-mouches

en particulier aiment voleter à travers un nuage d'éclaboussures. Certains oiseaux, comme les mésanges et les chardonnerets, boiront au goutte-à-goutte. Au plus profond de l'hiver, l'eau peut devenir une denrée précieuse pour les oiseaux qui pourront peut-être « boire » de la neige mais pas briser la glace. Vous pourrez acheter des vasques avec des spirales incorporées pour conserver l'eau chaude, et certaines sont également chauffées à l'énergie solaire.

▼ *Une vasque avec une bordure ondulée et une paire d'inséparables est un joli plus dans un jardin romantique.*

▼ ► *La construction en cuivre (à droite) donne une allure contemporaine au bain traditionnel. Une baignoire en pierre posée dans un jardin en fleurs attire à la fois les oiseaux et les humains (ci-dessous).*

COMPARAISON DES DISPOSITIFS DE DISTRIBUTION

Dispositif	Plateau	Trémie	Distributeur en tube
Polyvalence	Bonne	Moyenne	Faible à moyenne
Solidité	Se détériore vite sans toit	Les panneaux de plastique se troublent vite	Durée de vie garantie contre les dommages d'écureuils. Les modèles bon marché cassent vite
Beauté	Peut être décoratif mais est souvent fonctionnel	Plus fonctionnelle que belle ; cependant des versions plus décoratives existent en bois	Belle exposition d'oiseaux acrobatiques, mais peu agréable
Matériaux	Bardeaux, chaume, bois ; dans l'idéal, un piquet cylindrique en bois	En général en plastique ou en métal, parfois en bois	Plastique et fil de fer
Avantages	Contient toutes les variétés de graines ; d'autres distributeurs peuvent être accrochés à la table	Contient de grandes quantités de graines et les conserve au sec ; les modèles en bois ont un bel aspect.	Bon marché ; nombreux modèles ; certains sont vendus avec cloisons
Inconvénients	Doit être déplacé chaque année ; nécessite une cloison	Limité aux grosses graines, qui auront tendance à être dispersées. Nécessite une cloison, plus coûteuse que les plateaux et les tubes	En plastique, ne contient pas beaucoup de graines, ne convient pas toujours aux jardins
Coût	Faible à moyen	Moyen à élevé	Faible à moyen

La mangeoire à oiseaux

MATÉRIEL REQUIS

Base, extrémités de pignons en forme d'arche et toit (A)
1 feuille de contre-plaqué marine de 1220 x 610 x 12 mm

Habillage de piètement (B)
Environ 1,4 m (55 po) de moulure à angle droit pour habiller le contre-plaqué

Piliers (C)
4 tasseaux de 184 x 38 x 38 mm

Piquet d'arête (D)
1 piquet de 355 x 38 x 38 mm

Pignons de revêtement (E)
Chutes de contre-plaqué marine de 12 mm

Bardeaux de toit, pignons de planche de rive et finitions (F)
Chutes de contre-plaqué marine de 6 mm

Chapeau de surfaçage (G)
Moulures à angle droit de bois tendre de 355 mm (16 po)

Pieu (H)
Une longueur de piquet de clôture traité en auto-clave de 89 x 89 mm.

Quincaillerie et finitions
Colle à bois d'extérieur

Environ 54 clous galvanisés de finition de 12 mm pour les bardeaux

Environ 60 clous galvanisés de finition de 25 mm pour le reste de la construction

4 vis galvanisées ø 8 x 40 mm

Peinture, protection pour bois couleur cèdre

Outils
Trousse à outils de base et boîte à onglet

Cette mangeoire particulière en forme de chalet se caractérise par un toit en bardeaux de faux cèdre que vous pourrez créer en coupant des traits de scie peu profonds ou des rainures en languettes de contre-plaqué fin. Un trou est placé pour le récipient de nourriture. Fixez toute la construction sur un mur ou dressez-la sur un pieu comme ici. Les extrémités des pignons sont ornées de décorations en planche de rive, réalisées en perçant une série de trous dans une planche et en sciant dans la longueur pour couper les trous à moitié. Passez cette étape pour gagner du temps, mais l'habillage donnera à la mangeoire une durée de vie plus longue et ajoutera pour une grande part à son attrait.

▶ *Bien proportionnée, avec des détails architecturaux, la mangeoire attirera les espèces les plus distinguées.*

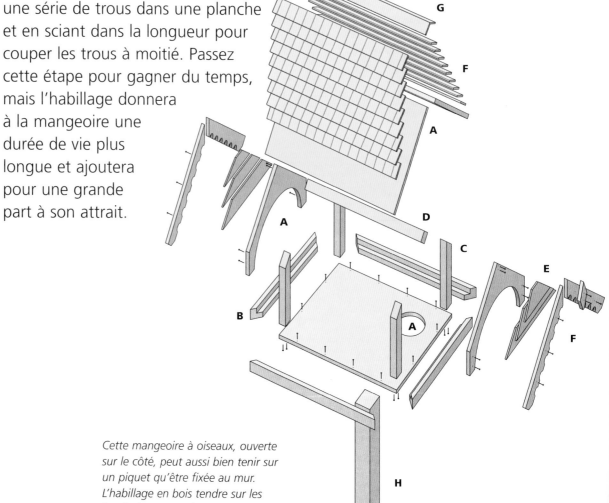

Cette mangeoire à oiseaux, ouverte sur le côté, peut aussi bien tenir sur un piquet qu'être fixée au mur. L'habillage en bois tendre sur les bords du contre-plaqué protège non seulement la base mais rend la mangeoire plus consistante.

1 Coupez les pièces pour la base, les pignons et le toit (A) dans du contre-plaqué, en suivant le plan et les mesures de la fig. 1.1. Tracez les courbes avec un compas et utilisez une scie sauteuse et une scie égoïne pour découper les différentes formes. Puis, coupez les pièces de décoration en bois de menuiserie pour la base (B), en utilisant la base comme guide pour déterminer les longueurs des pièces. Faites des coupes à onglet aux extrémités pour que le résultat soit plus net.

2 Marquez et coupez un trou pour le récipient en plastique qui contiendra la nourriture. Dans l'idéal, le récipient doit avoir un rebord ou être conique pour s'intégrer au trou.

3 Collez et clouez le bois tendre des pièces décoratives à la base de contre-plaqué. Si vous ne pouvez pas trouver de décorations qui conviennent, utilisez une défonceuse ou un rabot pour couper une feuillure dans une pièce de bois tendre de 38 x 38 mm (2 x 2 po).

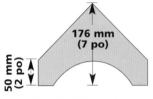

176 mm (7 po)

50 mm (2 po)

Extrémité de pignon x 2

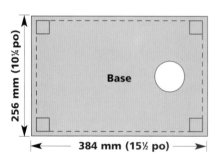

256 mm (10¼ po)

Base

384 mm (15½ po)

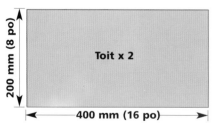

200 mm (8 po)

Toit x 2

400 mm (16 po)

Fig. 1.1

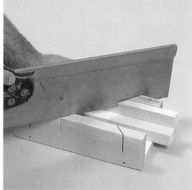

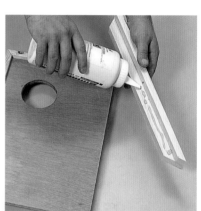

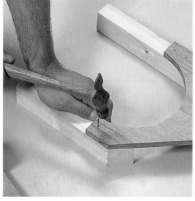

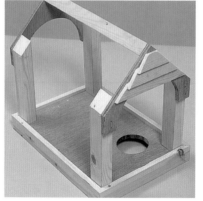

4 Vous pouvez maintenant commencer à construire les murs et le toit. Utilisez l'arche et les extrémités de pignons (A) pour marquer les angles aux sommets des piliers de bois tendre (C) et coupez. Fixez les piliers à la base en clouant au-dessous de la base. Clouez le tasseau du faîte (D) entre les pignons.

5 Lorsque vous avez la structure de base en place, coupez et fixez les revêtements (E) aux pignons. Commencez avec la languette du bas et remontez en utilisant des pignons pour mesurer la longueur et marquer les angles de chaque pièce à couper. Clouez les pièces, en les faisant déborder un petit peu et en prenant soin que chaque languette soit parallèle à la languette adjacente.

6 Posez le toit de contre-plaqué (A) au bout des cadres. Vous pourrez le réaliser avec de la colle ; il n'a pas besoin d'être cloué.

MONTER LE DISTRIBUTEUR

Pour monter un distributeur sur un piquet, fixez des blocs au-dessous de la base pour faire une mortaise où vous pourrez insérer le piquet. Prenez garde que les blocs ne soient pas au milieu du trou du récipient de nourriture. Consolidez le piquet dans le sol en utilisant une des méthodes décrites page 125.

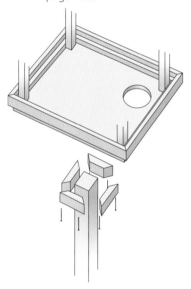

7 Maintenant, préparez les bardeaux du toit (F). Coupez 18 languettes de contre-plaqué fin mesurant 400 x 25 mm (16 x 1 po). Utilisez une scie à tenon ou une boîte à onglet pour couper des petites rainures sur chaque languette à des intervalles de 25 mm environ pour imiter les tuiles du toit.

9 Décorez les pignons avec les planches de rive (F). Celles-ci sont construites en perçant une série de trous de 18 mm dans deux pièces de contre-plaqué dessinées comme sur la fig. 9.1. Celles-ci sont alors coupées en deux et les moitiés s'assemblent à angle droit.

8 Collez le revêtement au contre-plaqué du toit, en commençant par le bas et en laissant dépasser un peu chaque couche sur la suivante. Faites attention que les rangées soient parallèles.

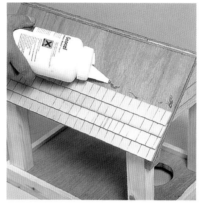

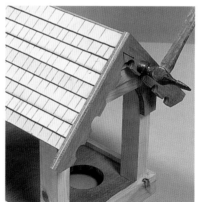

10 Clouez les planches de rive aux pignons. Coupez des finitions en forme de losange (F) à partir de chute de contre-plaqué et collez-les aux bordures d'avant-toit où elles se rejoignent pour recouvrir la jointure. Collez le panneau de recouvrement (G) au sommet du toit. Peignez le chalet en entier (à part les bardeaux du toit) de la couleur de votre choix. Teintez les bardeaux du toit avec une protection couleur de cèdre pour leur donner un air authentique. Monter la mangeoire sur un piquet (H) ou suspendez-la sur un support aérien.

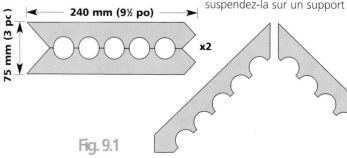

Fig. 9.1

Le nichoir

MATÉRIEL REQUIS

Cadre (A)
2 paniers suspendus ø 250 mm (10 po)

Décoration (B)
Beaucoup de tiges de saule,
pas plus de 5 mm (d'épaisseur
mais de toutes les longueurs

Quincaillerie et finitions
Petits morceaux de fil de fer

Chaîne, fermoir et crochet

Outils
Pinces coupantes, pince à dénuder,
couteau

TRAVAILLER LE SAULE

Pour faire le tressage aussi simple que
possible, essayez d'utiliser du saule
tendre. Le meilleur moment pour faire
ces nids d'oiseaux est au printemps et
en été quand le saule est souple. Si
vous l'utilisez plus tard dans l'année,
trempez-le dans l'eau tiède jusqu'à ce
qu'il soit malléable.

MATÉRIAUX DE SUBSTITUTION

Utilisez des matériaux comme le jonc,
le rotin, ou la corde pour tresser un
nichoir. Vous pouvez aussi utiliser
différentes tailles de paniers
suspendus, mais évitez les paniers
envahissants.

ATTIRER CERTAINES ESPÈCES

Modifiez la taille de l'ouverture pour
convenir à certaines variétés d'oiseaux
que vous souhaitez attirer. Certaines
espèces par exemple préfèrent nicher
dans des endroits retirés, éloignés de
la maison.

La simplicité est le maître mot de ce délicieux nichoir en saule. Il a l'air naturel et il est peu cher à réaliser. « Comment, vous demanderont vos amis, avez-vous pu tresser le saule en une sphère aussi parfaite ? », « Avec beaucoup de talent », répondrez-vous, ne révélant qu'à vos « meilleurs amis » seulement que vous avez en fait tressé autour d'une paire de modestes paniers suspendus. Les tiges de saule sont disponibles dans de nombreux magasins de bricolage et jardineries, mais il est plus économique – et plus agréable – de les couper sur un arbre au bord d'une rivière (demandez toujours la permission si vous êtes dans un endroit privé !). Accrochez le nid dans un endroit protégé du jardin, à l'abri du vent et des regards fureteurs des chats.

1 Prenez les paniers suspendus (A) et commencez à tresser les tiges de saule à travers les trous. Pas besoin de faire une œuvre d'art. Faites des essais pour voir ce qui vous convient. Cela vous aidera de tremper les tiges de saule dans l'eau tiède pour les rendre plus souples.

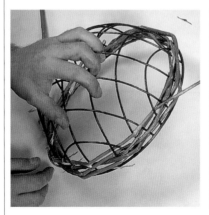

2 Commencez votre travail en partant du bord du panier vers le fond. Le tissage deviendra de plus en plus serré et vous pourrez l'étoffer en rajoutant de plus en plus de tiges. Prenez soin de recouvrir complètement le cadre de métal avec les tiges de saule.

3 Une fois que vous aurez terminé de tresser les deux moitiés du panier, accrochez-les ensemble avec du fil de métal, fixé de chaque côté de la balle. Tournez les extrémités avec des pinces et coupez toutes les parties coupantes avec un couteau pour métal.

4 Lorsque les paniers sont solidement accrochés, coupez un trou à travers le saule avec des pinces coupantes. Prenez soin de faire un trou de la bonne taille pour les espèces que vous souhaitez attirer.

5 Pour plus de sécurité, ajoutez un second nœud en métal directement sous le trou.

6 Posez un fermoir à l'extrémité d'une chaîne et un crochet à l'autre. Attachez le fermoir au sommet du panier et acccrochez-le dans le jardin.

▶ *La balle en saule est une véritable sculpture rustique qui attire les oiseaux dans le jardin.*

Le colombier

MATÉRIEL REQUIS

Partie principale (A)
1 feuille de contre-plaqué marine
de 2400 x 1200 x 18 mm
(4 x 8 pieds x ¾ po)

Cloisons intérieures (B)
2 pièces de contre-plaqué marine
de 615 x 280 x 12 mm
(11¼ x 24 ½ x ½ po)

Tasseaux du toit (C)
3 tasseaux de 300 x 38 x 19 mm
(12 x 2 x 1 po)

Toit (D)
4 tuiles

Un couvercle étincelant,
du mastic noir d'extérieur

Quincaillerie et finitions
Colle à bois d'extérieur

Environ 15 vis galvanisées ø 8 x 40 mm
pour assembler les côtés et les tasseaux

Environ 40 clous galvanisés x 40 mm

Pâte à bois d'extérieur

4 charnières invisibles 50 mm (2 po) et vis

2 targettes de porte et vis

4 liteaux de miroirs et vis

Protection pour bois, peinture,
teinture, vernis

Outils
Trousse à outils de base, cisailles à tôle,
serre-joint d'angle et lime plate

Les colombes sont les bienvenues dans tous les jardins. Elles arrivent un jour et restent si elles peuvent s'installer dans un colombier, une petite maison dessinée pour elles.

Construire un colombier a l'air difficile mais celui-ci est particulièrement simple à réaliser. Il est fabriqué avec des feuilles de bois, ce qui le rend assez lourd, mais demande peu de découpes. Vous pouvez demander au vendeur de les faire quand vous achetez le bois.

Une fois que les colombes se sont installées dans leur nouvelle maison, nettoyez les compartiments régulièrement pour empêcher le contre-plaqué de moisir. La porte avant articulée permet une entrée facile. Bons roucoulements !

▶ *Le colombier traditionnel blanc a été peint en vert à l'intérieur, ce qui aide à mettre en valeur les formes des fenêtres et ajoute un intérêt visuel.*

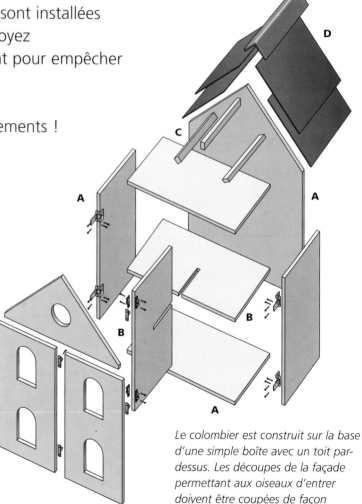

1 Coupez deux côtés dans la feuille de contre-plaqué (A), de 300 x 650 mm (12 x 26 po) et un toit et un plancher mesurant 300 x 615 mm (12 x 24 ½ po). Serrez ensemble les côtés latéraux les plus à l'extérieur, avec un serre-joint d'angle, percez et fraisez deux trous à chaque jointure.

Le colombier est construit sur la base d'une simple boîte avec un toit par-dessus. Les découpes de la façade permettant aux oiseaux d'entrer doivent être coupées de façon symétrique pour donner une belle finition professionnelle.

2 Lorsque les éléments sont serrés avec des serre-joints, vissez-les. Répétez l'opération sur les côtés restants. Si vous ne disposez pas d'un serre-joint d'angle, vous aurez besoin d'un assistant pour vous aider à réaliser cette étape.

3 Les deux cloisons (B) ont un assemblage à mi-bois. Coupez une encoche de l'épaisseur du contre-plaqué à la moitié de l'une des cloisons en partant du haut et en partant du bas sur la deuxième. Tracez l'encoche et coupez entre les lignes. Nettoyez les chutes au fond de la rainure avec un ciseau à bois.

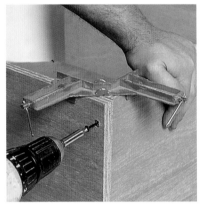

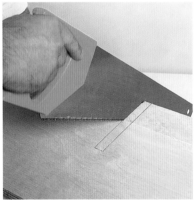

4 L'assemblage doit coulisser doucement, mais parfois cela peut être un peu serré. Si c'est le cas, trouvez l'endroit qui coince et limez. Vous serez surpris de voir le peu de matière à enlever pour obtenir un assemblage coulissant.

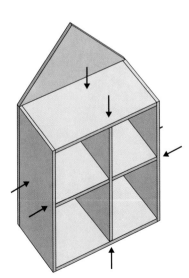

Fig. 5.1

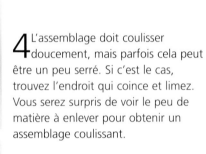

5 Insérez les cloisons dans la boîte de telle sorte qu'elles soient bien encastrées mais pas trop serrées. Sur l'extérieur, tracez une ligne pour montrer où clouer les cloisons (fig. 5.1). Pensez à enfoncer les têtes des clous sous la surface avec un chasse-clou. La boîte devrait être suffisamment solide maintenant.

6 Coupez l'arrière de la boîte dans la feuille de contre-plaqué (A) : un carré de 650 x 650 mm (26 x 26 po) avec un triangle de 325 mm (13 po) au sommet. Utilisez ce morceau comme un gabarit pour tracer et couper une pièce similaire pour la façade. Collez et clouez la pièce arrière sur l'assemblage de la boîte. Tracez une ligne à 18 mm (¾ po) en-dessous de la base du triangle de la façade et coupez le long. Sciez le rectangle restant en deux pour faire les deux portes. Faites un cercle de 100 mm (4 po) au centre du triangle de façade, percez un avant-trou et coupez le cercle avec une scie sauteuse.

LES COULEURS DES COLOMBIERS

Les colombiers sont souvent peints en blanc, mais il n'y a pas de règle. Vous pouvez teinter votre colombier avec une couleur puis le vernir ou juste vernir le contre-plaqué tel quel.

LE FAÎTE DE MÉTAL

En utilisant des cisailles à tôle, coupez une pièce de métal de 90 x 375 mm (3½ x 15 po). Courbez-la en deux dans la longueur en la plaçant sur une chute de bois de 89 x 89 mm (4 x4po). Pressez une planchette de bois au sommet pour réussir à faire un angle aussi tranchant que possible. Placez le métal sur l'apex du toit de telle sorte qu'il dépasse un peu à l'avant. Coupez au centre du débord et recourbez chaque côté pour que cela se plie nettement sous les tuiles du toit. Retirez le métal et appliquez un adhésif sur le dessous puis fixez-le au colombier.

7 Vissez les trois tasseaux du toit (C) au triangle du panneau arrière. Ils soutiennent la section de façade en place et aident à supporter le toit. Placez le tasseau central sur l'apex du toit et les autres à la moitié en descendant de chaque côté, avec leurs plus grandes faces parallèles à l'angle du toit.

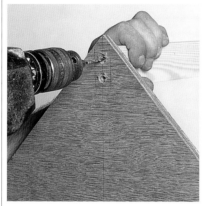

9 Coupez les tuiles du toit (D) si nécessaire pour qu'elles puissent tenir à fleur sur le dos du colombier mais dépasser à l'avant d'environ 25 mm (1 po). Clouez les tuiles aux tasseaux. Pour protéger l'apex du toit habillez-le de métal (voir colonne à gauche) ou appliquez un mastic d'étanchéité d'extérieur.

8 Maintenant collez et clouez le triangle à l'avant sur le sommet de la boîte et sur les tasseaux du toit. Une fois encore, utilisez un chasse-clou pour enfoncer les têtes des clous sous la surface et remplissez-les de pâte à bois avant de vernir ou de peindre.

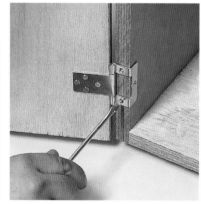

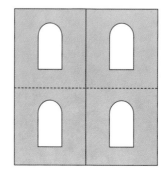

Fig. 10.1

10 Marquez les ouvertures des portes à la taille appropriée pour votre région – les dimensions exactes ne sont pas critiques tant qu'elles sont symétriques (fig.10.1) et laissent les colombes entrer et sortir facilement tout en empêchant les prédateurs d'entrer. Coupez les ouvertures avec une scie sauteuse et poncez les bords. Utilisez une paire de charnières plates pour attacher chaque porte aux côtés du colombier. Installez des targettes à l'intérieur pour tenir les portes fermées. Vissez des petits tasseaux à l'arrière du colombier pour le fixer au mur. Appliquez une protection pour bois et peignez le colombier avec de la peinture blanche. Complétez l'aspect traditionnel en peignant les détails architecturaux sur le devant.

LES PLANTES ÉTUDIÉES

PLANTES POUR FAIRE DU THÉ
Des plantes variées font de merveilleux thés, chauds ou glacés.

Anis hysope (Agastache foeniculum)

Armoise (Artemisia abrotanum)

Camomille romaine (Chamaemelum nobile)

Livèche (Levisticum officinale)

Tanaisie balsamite (Tanacetum balsamita)

LES ARBRES POUR GRIMPER
Les enfants ont besoin d'arbres avec des branches basses sur lesquelles monter facilement. Les meilleurs arbres ont quelques branches horizontales, utilisées pour faire des balançoires. Les conifères ne conviennent pas à cause de leurs aiguilles. Les arbres avec des branches étalées sont parfaits pour les cabanes.

Cèdre du Liban (Cedrus libani)

Châtaignier (Castanea spp.)

Chêne liège (Quercus suber)

Érable sycomore (Acer pseudoplatanus)

Laurier cerise (Prunus laurocerasus)

Mûrier (Morus spp.)

Saule (Salix spp.)

LES PLANTES AU PARFUM RELAXANT

Le temps passé dans le jardin peut être amélioré par le doux parfum des fleurs, surtout celles aux propriétés soporifiques.

Lavande

• La lavande (Lavandula spica) aide à dormir.

• La menthe (Mentha spp.) est un délicieux additif dans les boissons.

• L'anis vert (Pimpinella anisum) ajoute du goût.

• L'huile produite par les racines de la valériane (Valerian officinalis) est utilisée pour les parfums. Elle est très soporifique.

◀ Un large parasol éclatant procure beaucoup d'ombre pour vous relaxer confortablement et en toute sécurité même sous un très fort soleil.

Loisirs

Certaines personnes ne conçoivent pas l'utilité de la chaise longue. Leur temps est consacré à l'arrachage des mauvaises herbes, à l'entretien des plantes et de la pelouse. Un rapide verre de thé glacé est le maximum qu'ils s'autorisent pour se détendre. Cependant, la majorité recherche des meubles de jardin horizontaux pour pouvoir se reposer au bord de la piscine ou surveiller les enfants.

Les chaises longues, les balançoires et les hamacs sont des éléments essentiels pour de bonnes journées au soleil. Vient le soir et vous allumez les lumières, branchez le chauffage en fonction de l'époque, pour profiter un peu plus du jardin. La structure d'escalade et le fort d'enfants réduits au silence, vous pourrez en paix récupérer d'une journée de jeux et de plaisirs.

PROFITEZ DE VOTRE JARDIN
Trouver un équilibre entre un beau jardin et un jardin où s'amuser en famille n'est pas facile. Les adultes et les enfants ne partagent pas forcément les mêmes priorités. Mais, avec un peu d'imagination, chacun pourra profiter du jardin et trouver son propre espace de loisirs.

• Voulez-vous profiter du jardin à toute heure de la journée ? Un endroit ombragé sera le bienvenu pendant le pic de chaleur, des lampes de faible voltage vous permettront de rester un peu au dehors dans la soirée et les chauffages vous tiendront chaud au clair de lune.

• Voulez-vous un jardin éclatant, rempli de jeux ou quelque chose de plus subtil ? Les jouets en plastique sont souvent de couleur vive pour stimuler l'énergie et l'enthousiasme. Mais ils pourront être trop voyants pour certains jardins, tandis que des structures d'escalade en bois ou des cabanes pourront mieux convenir.

• Cherchez-vous un mouvement ou des décorations dans votre jardin ? Pensez aux carillons, aux girouettes ou aux objets de récupération qui apportent une note d'originalité.

◀ Les cadrans solaires sont très décoratifs dans un jardin. La pierre et le métal sont les matériaux les plus populaires.

Différents agencements

Il y a plus à faire dans un jardin que retirer les mauvaises herbes et tondre. Faites le gros du travail pendant l'hiver et vous pourrez consacrer l'été à profiter des résultats. Achetez ou construisez une balançoire, équipez le jardin de jeux et activités pour les adultes et les enfants et éclairez les bordures pour les soirées dans le jardin.

SE BALANCER

Une balancelle est une place très relaxante pour la fin de la journée, si vous pouvez profiter de ce luxe. Vous pouvez en trouver en bois. De nombreuses balancelles ont des cadres en métal avec un revêtement en toile et même un auvent pour garder la fraîcheur. Les versions les plus sophistiquées ont des moteurs pour vous balancer sans le moindre effort. Choisissez une balancelle pour une, deux ou trois personnes. Pour un confort plus simple vous pourrez donner le rythme de la balancelle, ce qui est maintenant disponible dans le modèle Adirondack. Trouver le bon mouvement de balance demande de la compétence. Le centre de la balancelle ne doit être ni trop proche ni trop éloigné. Testez-la avant d'en acheter une pour être certain qu'elle est bien adaptée à votre taille et à votre style de balancement.

Trouver une paire d'arbres est toujours un défi pour quiconque veut installer un hamac. Vous pourrez toujours accrocher un bout sur une construction et l'autre à un arbre. Cependant un support de hamac vous apportera davantage de liberté pour suivre le soleil ou l'ombre. Les hamacs en corde deviennent souvent râpés et tristes avec le temps mais ils ne sont plus la seule option depuis longtemps déjà. Vous pourrez trouver des modèles de toutes les couleurs et matières. Le coton prendra plus de temps à sécher après la pluie, mais sera plus confortable et doux.

▲ *Cette solution ingénieuse associe deux balancelles protégées du soleil.*

◀ *Les balancelles sont disponibles en plusieurs tailles pour s'adapter à l'espace dont vous disposez.*

◄ ▲ *Le hamac traditionnel en corde (ci-dessus) sera mis en valeur, judicieusement suspendu entre deux arbres. Si ce n'est pas possible dans votre jardin, il existe aussi des supports de hamacs. Pour une solution encore plus confortable, rien ne vaut le hamac en bois et toile (en haut à droite).*

◄ ▶ *Un rocking-chair (à gauche) est idéal si la balancelle est trop encombrante dans votre jardin. Une solution encore plus pratique est une balancelle sur pied avec un canapé (à droite) qui permet de profiter de toutes les parties du jardin avec un maximum de confort.*

DES AGENCEMENTS DÉCORATIFS

Une extraordinaire variété de carillons, de girouettes et de cadrans solaires peuvent ajouter un zeste d'originalité au jardin. Les carillons pourront être accrochés à la véranda comme peuvent l'être les décorations en verre teinté ou les paniers suspendus. Les magasins d'occasion ont souvent des objets à proposer pour le jardin. Évidemment, ils sont souvent de style classique, mais vous pourrez déployer votre imagination pour utiliser les rebuts et obtenir de bons effets. Les objets les plus invraisemblables – les vieilles voitures ou même les équipements de ferme – sont utilisés pour la décoration extérieure. Les visiteurs se réjouissent d'un agencement incongru dans un coin caché du jardin tandis que les statues drapées de plantes grimpantes donnent au jardin une ambiance particulière, comme des ruines envahies par la jungle.

◄ ► Introduire des sons dans votre jardin peut révolutionner l'atmosphère. Ces carillons sont de tailles plus ou moins grandes pour produire différents sons (à gauche). Ajoutez un peu d'éclat dans un coin tranquille de votre jardin avec un cadran solaire décoratif (à droite).

▼ ► Les girouettes (ci-dessous) abondent chez les brocanteurs et ajoutent une note excentrique dans un espace de plein air. Les cabanes dans les arbres (à droite), qu'elles soient simples ou complexes, plaisent beaucoup aux enfants.

LES ACTIVITÉS DES ENFANTS

Même s'il est possible de trouver des jeux pour enfants produits à grande échelle – les trampolines, les balançoires et les pataugeoires – les articles les plus intéressants sont souvent réalisés par des artisans du coin. Vous trouverez toujours quelqu'un pour fabriquer une cabane dans les arbres, un cadre d'escalade ou un fort, arrangés selon vos propres désirs. Mais vous ne pourrez pas prédire leur succès. Bien souvent une cabane très chère est mise de côté en faveur d'un vieil appentis tout penché. Les jeunes enfants ont besoin d'attention et aiment être regardés, c'est pourquoi vous ferez attention à ce que leurs activités correspondent à la partie du jardin que vous fréquentez en général. Sinon, vous passerez votre temps éloigné de l'endroit où vous aimez vous asseoir ou vous reposer. Le bois est un matériau populaire pour les activités des enfants car il est plus joli que le plastique sur une pelouse ; il est aussi plus accueillant tant qu'il n'y a pas

▲ Si vous avez la place, un système de jeux intégrant balançoires, cabine, toboggan et cadres d'escalade apporteront à vos enfants des heures de joie.

d'échardes et dure au moins quelques années. Les balançoires sont disponibles en plusieurs modèles.

Les structures pour les balançoires doivent être assez solides pour ne pas basculer. Enterrez deux piquets de bois dans le sol ou fixez-les avec des pitons. Vérifiez avant de l'acheter si la balançoire fonctionne bien, en faisant attention qu'elle ne dévie pas de son axe. Placez-la sur des écorces de bois ou des lanières de matelas pour plus de sûreté ; sinon vous finirez avec des carrés boueux sans herbe. Enfin, tondre entre les structures n'est pas une sinécure.

Vous pouvez acheter des panneaux pour consolider les cadres ou accrocher la balançoire à un arbre peu élevé. Les arbres fruitiers au cœur élagué font des supports idéaux pour un toboggan car les enfants peuvent monter à l'échelle d'un côté, monter dans l'arbre et descendre en toboggan de l'autre côté. Faites attention aux guêpes une fois les fruits mûrs.

Les cabines et cabanes pourront être cachées quand les enfants grandiront et qu'ils gagneront en indépendance.

▼ Cet ensemble de jeux aux couleurs très vives attirera les jeunes enfants, mais vous pourrez choisir une version en bois de couleur plus subtile pour votre jardin.

◀ ▲ Les cabines et maisonnettes (à gauche) ont l'air fantastiques et sont proposées à des prix variables. Les arbres robustes sont d'excellents supports pour les balançoires des enfants comme celle-ci faite avec un vieux pneu (ci-dessus).

LE CHAUFFAGE

En fonction de l'endroit où vous vivez, un chauffage extérieur pourra être nécessaire pour les soirées dans le jardin. Les sources de chauffage les plus répandues sont les poêles à gaz qui fournissent la chaleur avec des déflecteurs en métal, en général par au-dessus. Ils sont assez faciles à déplacer et peuvent offrir un bon chauffage, même s'il est localisé : certains invités au bout d'une table sont rôtis pendant que d'autres à l'autre bout sont congelés.

Une alternative plus naturelle est la cheminée. Elle est souvent en poterie, rustique ; en fait, c'est un four d'extérieur avec une ouverture sur l'avant pour allumer le feu et cuire le repas et une cheminée au-dessus pour distribuer la chaleur.

◄ ▲ *Les chauffages d'extérieur au gaz sont devenus très courants dans les équipements domestiques. Leur seul inconvénient est que le chauffage est relativement localisé.*

L'ÉCLAIRAGE

Les lampes à huile sont une excellente alternative aux chandelles, même s'il y a maintenant des chandeliers assez lourds pour résister au vent ou pouvant être accrochés. Les éclairages sécurisés sont peu chers et assez puissants pour éclairer un salon de jardin, ou un meuble. Ceux-ci pourront rester allumés toute la journée ou seulement se déclencher par censeurs. Les éclairages sont fameux pour éclairer un arbre en particulier, un pont ou un puits. En effet, un assortiment de lampes dans un puits peut en faire un superbe ornement, tandis que le puits offre un siège supplémentaire. À la place d'une lampe vous pourrez installer une petite pompe et créer une petite cascade au centre du puits.

▲ ▼ *Une cheminée – un four en poterie utilisé pour cuisiner et chauffer – ajoute un attrait au jardin (ci-dessus). Les chauffages fixés au mur (ci-dessous) chauffent comme le soleil et vous permettent ainsi de profiter du jardin pendant la soirée.*

LA LUMIÈRE DU SOLEIL

Le pouvoir du soleil prend toute sa mesure à la nuit tombée lorsque les piles à énergie solaire sont allumées. Le bon côté des lampes ou des pompes solaires est que vous pouvez les déplacer sans vous inquiéter des câbles.

Q Comment fonctionnent les lampes solaires ?

R Les panneaux solaires gardent la chaleur dans des petites piles. La lumière peut être allumée manuellement ou avec un censeur.

Q Est-ce qu'elles peuvent illuminer le jardin ?

R Non. Les lampes solaires apportent des petits foyers de lumière mais n'éclairent pas tout le jardin.

Q L'endroit où vous placez les lumières a-t'il une importance ?

R Si vous placez une lampe solaire au milieu du jardin, sans ombre, sa pile pourra durer jusqu'à huit heures pendant la nuit. Placez-la à l'ombre et vous perdrez entre une heure et trois heures d'éclairage - pendant un jour d'hiver morne, sans lumière, vous pourrez obtenir une ou deux heures de lumière en soirée. À côté des spots de lumière vous pourrez couper les lumières solaires, c'est pourquoi vous devez les placer à au moins 5 mètres (5 yards) d'une lumière vive électrique.

Q Quelles sont les différences de qualité entre les panneaux solaires ?

R Les panneaux amorphes ont besoin de la lumière du soleil et pas seulement de la lumière du jour. Ceux-ci sont généralement moins chers mais sont les moins efficaces.

Vous pouvez trouver des lampes solaires jusqu'à 8 watts, mais les moins chères gardent seulement un demi-watt.

Q Comment placez-vous les lampes ?

R Beaucoup d'entre elles ont des picots pour les placer très simplement. Vous pouvez aussi acheter des lampes suspendues aux piquets ou construites dans des cabines. La forme du modèle dépend de l'époque.

Q Quelle est l'alternative à la lumière solaire ?

R Vous pouvez construire un système électrique en passant des câbles sous le sol dans des gaines. Pour une lumière vive vous fixerez les lampes ou les spots au mur, avec des câbles connectés à l'alimentation de l'intérieur. Une solution encore plus sûre est d'utiliser des lampes de 12 volts ; elles peuvent procurer un bon éclairage et n'ont pas besoin d'un haut niveau de protection.

▲ ▶ *Les luminaires sur piquet peuvent être placés à votre convenance dans votre jardin et sont disponibles dans des modèles traditionnels ou modernes.*

▲ *Peu importe la taille de votre jardin, vous pourrez vraiment utiliser votre imagination pour les bassins, que vous optiez pour un pont élaboré, un puits décoratif éclairé de l'intérieur ou un bassin miniature et une fontaine.*

Fort d'enfants

Les enfants de tous âges adorent les structures de jeux de plein air et ce fort modulable deviendra à coup sûr l'endroit favori de toute la famille. Avec un peu d'imagination seulement, il pourra être transformé en cabane de cow-boys, château médiéval, palais de princesse, voire en maison hantée. Vous pourrez installer ce fort partout, car il est d'un seul tenant, dans des supports de piquets enterrés dans le sol ou fixés dans des chapes de béton. Comme pour tous les jeux d'enfants prenez garde quand vous arrivez aux finitions, de poncer les bords aigus et les endroits où les doigts peuvent être pincés. En été, pensez à entourer le fort de matelas de protection pour absorber les chutes.

▶ *Ce fort classique sur pieds procurera de nombreuses heures de plaisir, mais il faut respecter l'équilibre entre sécurité et jeux aventureux. Tandis que le fort convient bien à des enfants entre 3 et 8 ans, de plus jeunes enfants seront surveillés en permanence.*

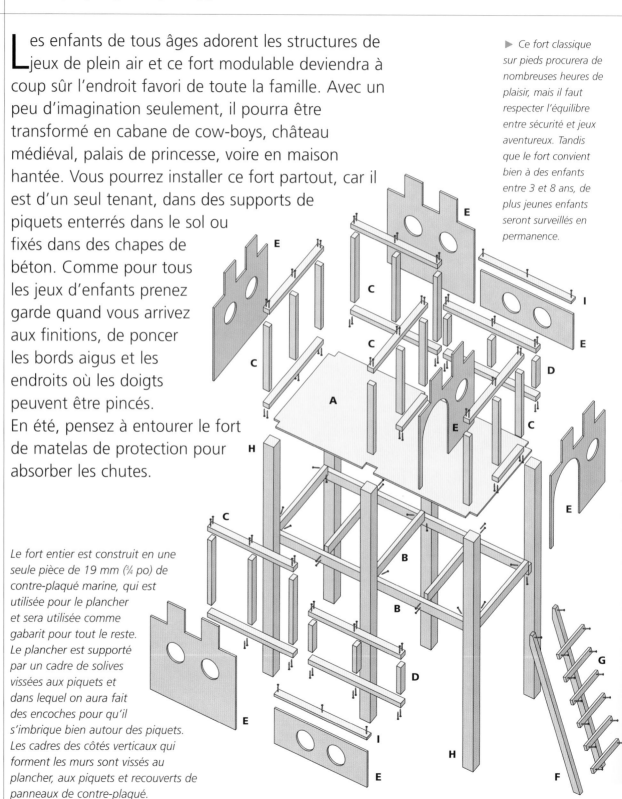

Le fort entier est construit en une seule pièce de 19 mm (¾ po) de contre-plaqué marine, qui est utilisée pour le plancher et sera utilisée comme gabarit pour tout le reste. Le plancher est supporté par un cadre de solives vissées aux piquets et dans lequel on aura fait des encoches pour qu'il s'imbrique bien autour des piquets. Les cadres des côtés verticaux qui forment les murs sont vissés au plancher, aux piquets et recouverts de panneaux de contre-plaqué.

1 Tracez des encoches sur un carré de 62 mm (2½ po) au bord de la planche de contre-plaqué (A) pour les piquets. Le fait que les piquets soient 25 mm (1 po) plus gros que les encoches laisse un peu d'espace pour le panneau de 19 mm (¾ po) de contre-plaqué que vous fixerez aux cadres latéraux (Fig.1.1).

2 L'encoche au centre de chaque côté est aussi de 62 mm (2½ po) d'épaisseur mais de 87 mm (3½ po) de large. Cela laisse 25 mm (1 po) de marge pour les panneaux latéraux. Coupez toutes les encoches avec une scie sauteuse. Ce plancher aide à déterminer la place des piquets, donc les découpes doivent être précises.

3 Vissez la grande solive du plancher avec la petite (B) pour faire le faux cadre qui supporte le plancher. Posez les solives sur le plancher pour les placer avec précision. Les petites solives sont espacées régulièrement et sont à fleur avec les extrémités du plancher ; le cadre tout entier repose à l'intérieur des encoches.

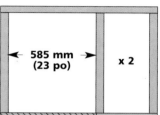

Fig. 5.1

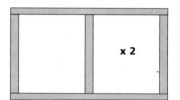

Cadres supérieurs de mur avant et central

Fig. 6.1

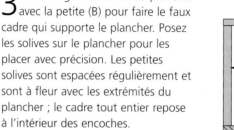

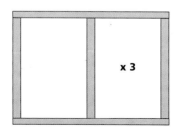

piquet · 62 mm (2½ po)

Fig. 1.1

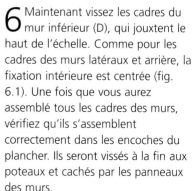

x 2

Cadres de mur inférieurs

x 3

Cadres supérieurs de mur latéraux et arrière

Fig. 4.1

4 Vissez les cadres supérieurs des murs latéraux et arrière (C) (fig.4.1). Les extrémités des parties horizontales du cadre affleurent avec les côtés des parties verticales et la troisième pièce se place au milieu des deux précédentes. Notez que les panneaux latéraux, à 1110 mm (43¾ po) sont un peu plus longs que le cadre arrière qui fait 1090 mm (43 po).

5 Vissez les cadres des murs avant et central. Les panneaux muraux qui sont fixés à ceux-ci auront des arches coupées à gauche, de telle sorte que la pièce centrale du cadre soit légèrement sur la droite. Placez-la à 585 mm (23 po) de la fixation verticale à gauche (fig. 5.1). Notez aussi que la fixation inférieure horizontale est coupée un peu plus tard (étape 9) pour faciliter l'accès.

6 Maintenant vissez les cadres du mur inférieur (D), qui jouxtent le haut de l'échelle. Comme pour les cadres des murs latéraux et arrière, la fixation intérieure est centrée (fig. 6.1). Une fois que vous aurez assemblé tous les cadres des murs, vérifiez qu'ils s'assemblent correctement dans les encoches du plancher. Ils seront vissés à la fin aux poteaux et cachés par les panneaux des murs.

LES PAROIS À LATTES

À la place des parois latérales en contre-plaqué, vous pouvez utiliser des lattes de bois. Les murs de lattes conviennent mieux dans certains jardins et résistent mieux aux intempéries.

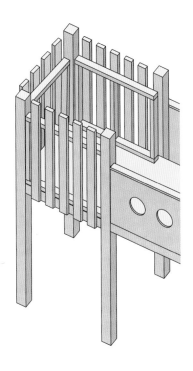

7 Mesurez et tracez les panneaux des murs dans le contre-plaqué (E), en commençant par les cinq panneaux du haut. Les panneaux aux extrémités du fort et celui au centre mesurent 1140 mm (45 po) de haut et 1090 mm (43 po) de large, permettant de faire des créneaux et de déborder du plancher et des solives. Les panneaux supérieurs latéraux mesurent 750 mm (29 po) de haut et 1110 mm (43¾ po) de large, ce qui permettra de déborder sur le plancher et les solives. Coupez chaque panneau de mur proprement avec une scie circulaire pour qu'il s'emboîte bien entre les encoches et les piquets.

8 Une fois les panneaux des murs découpés, marquez les créneaux. Faites les créneaux et les espaces entre eux de 216 mm (8½ po) de large et 240 mm (9½ po) de profondeur – une apparence régulière est plus importante que des mesures exactes. Tracez le premier panneau en hachurant la chute et coupez-le avec une scie sauteuse. Quand vous êtes satisfait de la forme utilisez le panneau pour tracer les autres.

10 Utilisez votre compas pour tracer les cercles des hublots. Découpez-les dans les panneaux des murs. Il est préférable de prendre un diamètre de 140 mm (6 po) au moins, pour éviter qu'une petite tête ne se coince ! Coupez les arches et les hublots avec une scie sauteuse en faisant un trou au préalable avec la perceuse. Vous pourrez alors habiller les sept panneaux et les peindre comme vous le souhaitez.

9 Tracez les arches sur les panneaux avant et arrière de 765 mm (30 po) de haut et 510 mm (20 po) de large. Faites attention à les placer correctement entre le milieu et le côté gauche des pièces du cadre. Faites un compas simple avec une ficelle et un crayon pour faire la courbe au sommet de l'arche. Enfoncez un clou à 255 mm (10 po) du sommet de l'arche et à la même distance du côté. Fixez une ficelle de 255 mm de long avec un crayon au bout et tracez la courbe.

LES PIQUETS DANS LE BÉTON

Les piquets de ce projet sont dans des porte-piquets pris dans une chappe de béton car cela rend la construction du fort assez simple. Cette méthode vous permet de construire le fort et de le monter au dernier moment. Les forts construits autour des piquets s'enfoncent dans le sol, mais ils doivent être en appui lorsque vous construisez le faux-cadre du plancher et les panneaux latéraux. Dans ce cas, clouez de fines pièces de bois aux piquets et poussez-les dans le sol pour conserver les piquets en place pendant que vous construisez le fort.

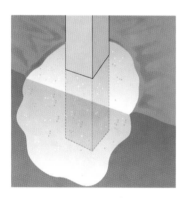

Fig. 13.1

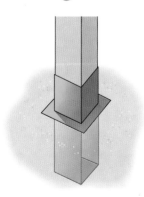

11 Maintenant faites l'échelle. Utilisez une équerre à combinaison pour faire un arrondi au bout d'un des côtés de l'échelle (F). Coupez l'arrondi avec une scie. Utilisez cette pièce pour l'autre côté de l'échelle et coupez-la.

12 En serrant les deux côtés de l'échelle, tracez les positions pour les six barreaux (G), en faisant attention de les espacer de façon régulière. Coupez six barreaux de 500 x 38 x 38 mm (20 x 2 x 2 po) et poncez les extrémités. Percez les barreaux, fraisez avec une mèche plate pour pouvoir ensuite coller les bouchons plus tard. Vissez les barreaux aux côtés. Collez les bouchons, laissez la colle sécher et poncez les bouchons pour aboutir à une finition douce. Maintenant vous êtes prêt à assembler le fort dans le jardin.

14 Une fois que le faux cadre est fixé, retirez les lattes provisoires. Posez le plancher sur le cadre et vissez-le aux solives à intervalles réguliers, en fraisant les vis. Puis vissez les panneaux des murs aux piquets et au sol. Utilisez deux vis fraisées à travers chaque fixation verticale et deux à travers chaque fixation horizontale dans le sol et les solives du plancher ci-dessous.

Fig. 13.2

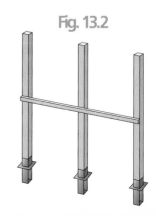

13 Préparez le sol. Posez le plancher de contre-plaqué sur le sol et marquez les positions des trous pour les piquets. Creusez les trous de 300 mm (12 po) de diamètre et 760 mm (30 po) de profondeur et remplissez de béton. Poussez les bases des piquets dans le béton de façon à ce que la partie inférieure de la base soit enfouie et que l'assise de la base soit à fleur avec la surface. Quand le béton a pris, insérez les piquets dans les bases et fixez-les en suivant les instructions du fabricant. Vissez des lattes provisoires aux piquets pour que leur bord supérieur soit à 1600 mm (63 po) du sol (fig. 13.2). Prenez un assistant pour porter le faux cadre sur les lattes. Vissez-le aux piquets avec deux vis d'angle à chaque coin. Sur les piquets centraux, vissez de chaque côté de la petite solive centrale, toujours avec un léger angle.

POSER UN TOIT

Pour un fort qui reste en place toute l'année, vous pourrez ajouter un toit. Une façon simple est de visser des tasseaux sur le côté intérieur des panneaux ou en faisant les panneaux des murs suffisamment hauts pour fixer le toit de contre-plaqué sur eux. Prenez garde que le toit soit incliné pour que la pluie et la neige glissent dessus. Si vous faites une cabane de cow-boys, vous pourrez faire un toit en pente comme sur le dessin ci-dessous. Si vous avez de l'ambition à revendre vous pourrez faire un toit en forme d'arche sur des sections incurvées ou utiliser les techniques page 120 pour faire un toit incliné. Couvrez le toit d'une protection étanche.

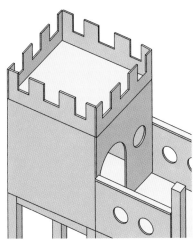

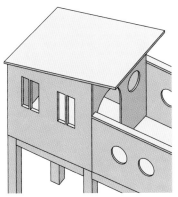

15 Clouez les panneaux des murs aux panneaux correspondants en utilisant trois clous pour chaque côté de panneau, hormis les parois verticales des panneaux inférieurs, où deux clous par côté suffiront. Enfoncez les clous avec un chasse-clou et bouchez-les. Peignez sur l'enduit une fois qu'il est sec.

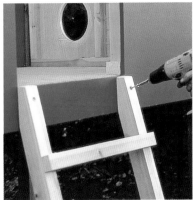

16 Vissez les bordures (J) au sommet des panneaux muraux sur les deux murs inférieurs en utilisant quatre vis fraisées de chaque côté. Les bordures sont un peu plus larges que les cadres et les panneaux des murs. Vous pourrez les faire à fleur avec le bord intérieur du mur ou les répartir de chaque côté. Bouchez les trous de vis et placez les bordures comme vous le souhaitez.

17 Maintenant que la structure est suffisamment solide, sciez les parties des cadres de mur en deux arcades en faisant attention au plancher et aux panneaux muraux.

18 Fixez l'échelle sur le devant du fort, en l'alignant avec le coin inférieur de l'arcade. Percez et vissez à travers le panneau mural en contre-plaqué, la solive du plancher derrière lui et fraisez avec une mèche plate. Pour une meilleure sécurité, fixez le bas de l'échelle au sol avec des équerres de sécurité ou des pieux de bois enfoncés dans le sol. Bouchez les trous des vis et appliquez une finition sur l'échelle. Percez quatre (ou plus) petits trous à chaque coin de la base du fort pour laisser passer l'eau.

Le support de hamac

MATÉRIEL REQUIS

Support de dossier triangulaire et armature (A et B)
Coupez dans une feuille de contre-plaqué marine de 2400 x 1200 x 18 mm

Lattes diagonales (C)
2 pièces de bois tendre de 2400 x 184 x 19 mm

Languettes de bordure (D)
1 pièce de bois tendre de 1625 x 64 x 19 mm

Crochets de hamac (E)
2 boulons à œil M12

Quincaillerie et finitions
Colle à bois d'extérieur

20 vis galvanisées ø 10 x 50 mm

10 écrous M12

10 rondelles M12

8 tiges filetées de 75 mm

Pâte à bois d'extérieur

Protection pour bois, teinture, vernis

Outils
Trousse à outils de base avec scie à tenon, lime, équerre et fausse équerre

Il est étonnamment difficile de trouver deux arbres suffisamment rapprochés pour pouvoir suspendre un hamac. Dans un verger peut-être mais peu d'entre nous sont suffisamment chanceux pour en posséder un et de toute façon la plupart des arbres fruitiers attirent les abeilles et les guêpes. La meilleure solution est de construire un support de hamac que vous pourrez déplacer où vous le désirez. Ce modèle contemporain est réalisé avec du contre-plaqué solide d'extérieur de bouleau de 18 mm. Chaque support comprend deux triangles à angle droit avec le second, incliné vers l'extérieur pour résister à la force de la gravité. Au pied, des lattes diagonales les maintiennent en place. Les crochets pour le hamac sont fixés au sommet.

▶ *Essayez de ne peindre que les supports en triangle. Choisissez une couleur relaxante pour que la seule chose dont vous ayez envie soit de vous allonger et de laisser vos soucis s'évanouir.*

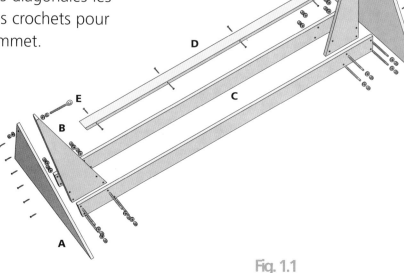

Le support de hamac est relativement facile à faire à partir de quatre triangles et trois pièces de bois, mais les découpes peuvent être difficiles. Prenez donc votre temps quand vous mesurerez et marquerez. Vous pouvez aussi demander que votre magasin fasse les découpes pour vous.

1 Mesurez et tracez les quatre triangles pour le dossier (A) et les armatures (B) dans la feuille de contre-plaqué (fig.1.1). Notez que le triangle A est isocèle (il est symétrique des deux côtés de la ligne médiane.) Coupez les quatre triangles après avoir fixé la feuille de contre-plaqué en plusieurs endroits.

Fig. 1.1

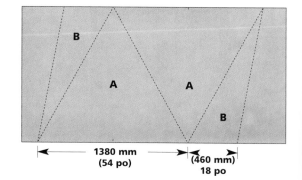

1380 mm
(54 po)

(460 mm)
18 po

2 Mesurez et marquez la ligne médiane sur les supports du dossier (A). Marquez, percez et fraisez six trous régulièrement répartis le long de chaque ligne, où les supports du dossier seront vissés aux armatures (B). N'assemblez pas tout de suite.

3 Posez l'armature sur l'une des lattes diagonales (C), alignez leurs bords inférieurs et tracez l'angle obtenu par la face arrière de l'armature sur l'extrémité de la latte. Tracez la ligne avec une règle et une équerre et coupez avec une scie.

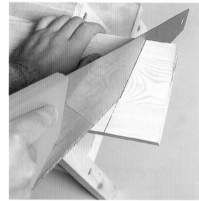

4 Marquez et coupez l'autre extrémité de la latte de la même manière, puis marquez et coupez les deux extrémités de l'autre latte diagonale pour qu'elles soient identiques. Retournez aux supports du dossier et vissez-les aux armatures, mais ne collez pas à ce stade.

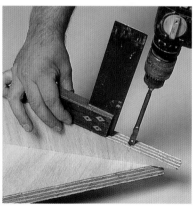

6 Dévissez les dossiers et placez-les sur une surface de travail. Centrez une plus grande mèche plate sur le petit trou créé par le bout de la petite mèche plate et faites un trou un peu plus grand sur la face extérieure du dossier. C'est pour la rondelle et l'écrou qui tiendront en place le boulon. Répétez la même opération sur l'autre support. Quand vous aurez fini, vous pourrez coller les dossiers et les visser aux armatures.

5 Avant de joindre les deux supports aux lattes diagonales, percez-les pour les crochets du hamac (E). D'abord utilisez une fine mèche plate, entrant sur le devant, à angle droit avec le bord incliné de l'armature et environ 65 mm plus bas que le sommet, en ne laissant que le bout de la mèche passer à travers le dos du support de dossier.

OFFRIR DE L'OMBRE

Sans arbre pour donner de l'ombre, vous pourrez avoir envie de créer votre propre ombre. Vous pourrez le faire assez simplement en intégrant un mât de chaque côté et en attachant une barre entre eux. Jetez un morceau de tissu sur la barre et fixez-le à l'aide de haubans au sol.

ATTACHER LE HAMAC

Nouez le hamac aux pitons avec un nœud en demi-clé comme ci-dessous. Si votre hamac possède un passant à chaque extrémité, vous pourrez utiliser un mousqueton à la place. C'est un anneau de métal de forme allongée avec un côté articulé, qu'utilisent les montagnards pour la sécurité.

7 Utilisez une scie à tenon pour adoucir les pointes des triangles, et pour le long des bordures prenez une lime et du papier de verre. Insérez des pitons et attachez chaque boulon avec une rondelle et un écrou des deux côtés.

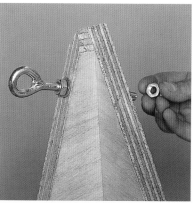

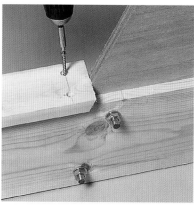

8 Placez les lattes diagonales des deux côtés de l'armature, avec leurs extrémités collées aux supports de dossier. Maintenez l'assemblage avec un serre-joint en prenant une pièce de chute pour cale d'épaisseur. Percez quatre trous dans les lattes diagonales et l'armature pour les boulons. Fixez chaque boulon avec un écrou et une rondelle à chaque extrémité.

10 Bouchez tous les trous de vis avec de l'enduit. Appliquez une couche de protection pour bois et votre choix de peinture, de teinture et/ou de vernis. Souvenez-vous de retirer les crochets du hamac avant de commencer.

9 Placez doucement la languette de bordure (C) sur les lattes diagonales et contre l'armature. Utilisez une fausse équerre pour définir l'angle entre la languette de bordure et l'armature. Tracez l'angle à l'extrémité de la languette et sciez pour que cela s'ajuste à fleur sur l'armature. Fixez les lattes diagonales à l'armature opposée comme cela est décrit à l'étape 8. Vérifiez la longueur requise pour la languette de bordure, coupez-la aux dimensions et faites l'angle comme le précédent. Percez, fraisez et vissez la languette aux traverses, avec 4 vis réparties avec égalité le long de chaque côté de la languette.

La balancelle

MATÉRIEL REQUIS

Gabarits du fauteuil et rails (A)
1 feuille de contre-plaqué marine
de 2400 x 1200 x 19 mm (48 x 96 x ¾ po)

Lattes fines du fauteuil (B)
Environ 28 pièces de bois tendre
de 1270 x 19 x 19 mm (50 x 1 x 1 po)

Lattes larges du fauteuil (C)
Environ 18 pièces de bois tendre
de 1270 x 19 x 19 mm (50 x 1 x 1 po)

Pieds (D)
4 tasseaux de 2080 (82 po) x 89 x 38 mm

Traverses (E)
2 de 835 x 89 x 38 mm (33 x 2 x 4 po)

Pièce de recouvrement (F)
1 de 2440 x 140 x 38 mm (96 x 2 x 6 po)

Timon (G)
1 de 2290 x 89 x 38 mm (90 x 2 x 4 po)

Supports verticaux (H)
2 tasseaux de 965 x 38 x 38 mm (38 x 2 x 2 po)

Tasseaux de diagonale (I)
4 de 710 x 89 x 19 mm

Tirants verticaux (J)
2 de 1050 x 89 x 19 mm (41½ x 1 x 4 po)

Quincaillerie et finitions
8 vis à bois de 100 mm (4 po)

6 vis à bois de 60 mm (2½ po)

Environ 150 clous de finition de 40 mm
(1½ po) pour attacher les lattes aux modèles

2 boulons de 200 mm M12

4 boulons de 100 mm M12
avec des écrous bloquants

24 vis galvanisées ø 10 x 50 mm
pour assembler le portique

8 vis galvanisées ø 8 x 45 mm (1¾ po)
pour assembler les modèles aux rails

5 vis galvanisées ø 10 x 75 mm (3 po) pour
fixer les pièces de revêtement au timon

4 bouchons de 13 mm

8 mètres (26 pieds) de corde épaisse

Colle à bois d'extérieur

Protection pour bois, peinture, vernis

Outils
Trousse à outils de base avec compas,
maillet et clé de serrage

Cette balancelle pourra être soutenue par une armature en A comme cet exemple, mais elle pourra aussi être fixée à un timon sur une véranda ou un porche. Les lignes très simples et les lattes du fauteuil sont suffisamment fines pour gagner en confort lorsque vous vous balancez. Le banc est construit à partir de gabarits vissés aux rails de contre-plaqué. Le gabarit central est joint aux rails par un assemblage à mi-bois pour plus de rigidité. Pour que les choses restent simples, les courbes des gabarits sont établies autour d'une série de quatre cercles, dont trois ont le même rayon. Seule la courbe supérieure du dossier est plus étroite.

► *Avec son balancement reposant et ses contours ergonomiques, cette balancelle est le nec plus ultra de la relaxation au jardin.*

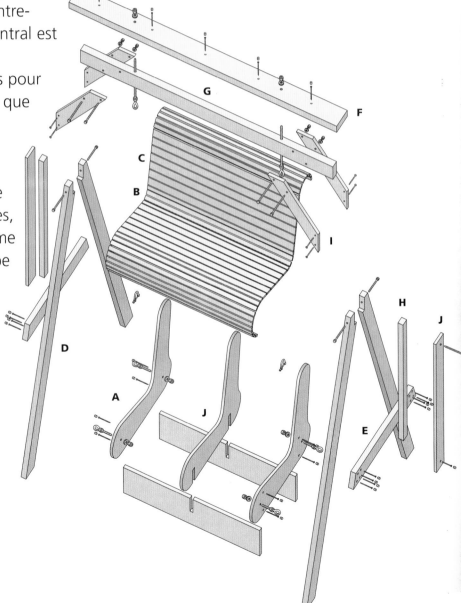

1 Coupez deux rails de 1200 mm (47¼ po) de large par 180 mm d'épaisseur dans du contre-plaqué. Dans un des coins, tracez un carré mesurant 700 mm (27½ po) par 610 mm. Réglez le compas sur 100 mm (4 po) et dans le coin en bas à gauche du carré, tracez un cercle (i).

2 Utilisez le modèle complété comme gabarit pour dessiner les deux autres. Coupez et serrez les trois modèles pour tracer la position des rails, à 130 mm (5 po) de chaque extrémité des modèles. Le modèle central est en assemblage à mi-bois. Marquez la position pour les trous de vis sur les modèles extérieurs.

3 Percez des trous de 13 mm (½ po) au centre des cercles (i) et (ii) sur les deux modèles à l'extérieur. Ces trous sont pour les boulons, qui serviront de points de repérage pour la corde. Serrez les deux modèles ensemble pour percer les trous en une seule fois.

Fig. 6.1

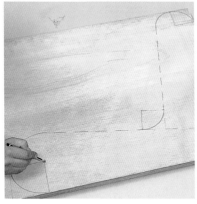

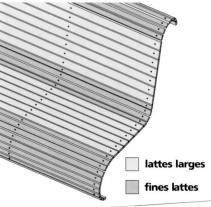

□ **lattes larges**

■ **fines lattes**

Dessinez un cercle similaire (ii) en bas du coin droit du carré. Réglez à nouveau le compas à 65 mm et tracez un cercle (iii) dans le coin en haut à droite. Dessinez un X en partant du centre du cercle (ii) touchant le bord du cercle (i). Tracez un Y à 90 degrés de la ligne X, touchant le bord du cercle (iii). Tracez le cercle (iv) touchant les lignes X et Y. Coupez la ligne en gras.

Fig. 1.1

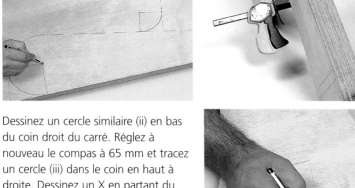

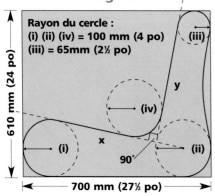

Rayon du cercle :
(i) (ii) (iv) = 100 mm (4 po)
(iii) = 65mm (2½ po)

(iii)

610 mm (24 po)

y

(iv)

(i)   x

90°   (ii)

← 700 mm (27½ po) →

4 En travaillant à partir des marques faites à l'étape 2, tracez l'assemblage à mi-bois sur le modèle du milieu. Faites les découpes de 50 mm (2 po) de profondeur et 19 mm de large, en sciant les côtés du joint et en rognant le surplus. Coupez les joints exactement à l'identique, point fixe sur les deux rails.

5 Encastrez le modèle du milieu et les rails (sans les coller) et essayez un à un les modèles extérieurs pour vérifier que les marques que vous avez faites pour les trous de vis sont bien alignées avec les extrémités des rails. Une fois satisfait, percez, collez et vissez les modèles extérieurs aux rails. Fraisez et chanfreinez les trous de vis avec une mèche plate de 13 mm pour mettre des bouchons un peu plus tard.

6 Posez doucement les lattes du siège (B et C) sur les trois modèles, les fines lattes suivant les courbes et les lattes larges les parties droites (fig. 6.1). Clouez les lattes aux modèles, en commençant par l'arrière du siège avec un couple de cales d'épaisseur de 6 mm pour des intervalles réguliers. Enfoncez les têtes de clous avec un chasse-clou. Retournez le siège pour clouer les lattes à l'arrière.

DES SOLUTIONS POUR L'OMBRE

En plaçant la balancelle sous un arbre vous obtiendrez automatiquement de l'ombre, mais vous pourrez aussi ajouter un auvent à la structure en A. La façon la plus simple de réaliser cela est d'attacher une étoffe au timon avec des piquets sur le devant maintenus par des haubans. Vous pouvez utiliser n'importe quelle sorte de tissu un peu épais comme de la toile à voile ou du tissu synthétique.

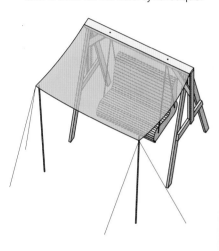

7 Finissez de clouer les lattes du siège. Collez et bouchez les trous de vis sur les modèles. Quand la colle a séché, limez les extrémités des bouchons à fleur avec un ciseau, en faisant attention de ne pas en couper trop. Poncez pour que ce soit doux.

8 Logez les quatre boulons de 100 mm (4 po) dans les trous percés au bout des modèles, en utilisant des écrous bloquants pour qu'ils ne se dessèrent pas.

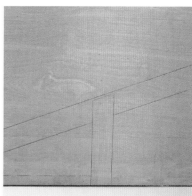

9 Commencez à travailler sur la structure en A. La façon la plus simple de faire les découpes d'angle au sommet et au bas des pieds (D) et les encoches pour loger le timon (G) est de tracer la moitié du bâti grandeur nature sur une pièce de contre-plaqué (fig. 9.1). Utilisez ceci comme gabarit pour couper les deux pieds.

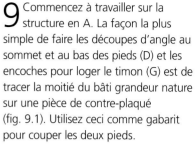

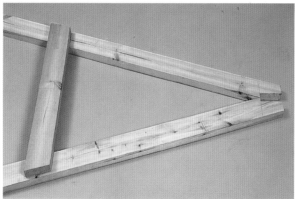

10 Posez les pieds sur le sol et vérifiez que les pieds se rejoignent au sommet et que l'encoche logera le timon. Posez les traverses sur les pieds (fig. 9.1), marquez les emplacements et l'angle d'équilibrage aux extrémités. Coupez aux dimensions à la scie égoïne.

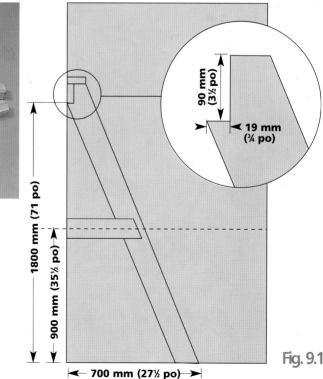

90 mm (3½ po)

19 mm (¾ po)

1800 mm (71 po)

900 mm (35½ po)

700 mm (27½ po)

Fig. 9.1

ALTERNATIVE POUR SUSPENDRE LA STRUCTURE

Si vous préférez ne pas construire une structure en A, vous pourrez enterrer un couple de piquets très lourds dans le sol avec un timon entre eux pour supporter le banc.

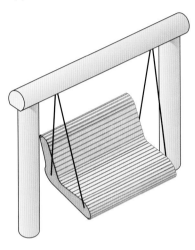

11 Percez, collez et vissez les traverses sur chaque côté du cadre en A. Percez les trous au sommet de chaque pied pour les vis à bois à tête hexagonale qui fixeront les pieds au timon. Les vis placées, elles ne doivent pas se heurter. Vissez et collez les pièces de recouvrements (F) au timon (G), centrées sur le timon et dépassant de façon équivalente de chaque côté. C'est plus facile maintenant, avant que le timon ne soit fixé au portique en A.

12 Préparez et nivelez un endroit qui vous convient et apportez les côtés du cadre. L'assemblage final est plus facile s'il est mené sur place. Demandez à un ami ou deux de vous aider à tenir les pieds pendant que vous posez le timon et la pièce de revêtement dans les encoches. Vissez les pieds au timon avec les vis à bois à tête hexagonale de 100 mm (4 po).

13 Mesurez la distance entre l'envers du revêtement et le sommet de la traverse. Si nécessaire, ajustez la longueur des supports verticaux (H) pour qu'ils s'emboîtent. Percez, fraisez et vissez le sommet d'un des supports à l'extrémité du timon, bien calé contre l'envers de la pièce de revêtement. Utilisez un niveau à bulle pour que le support soit d'aplomb quand vous le fixez.

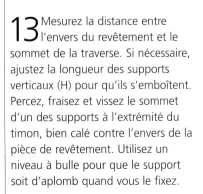

14 Fixez le dessous du support vertical au centre de la traverse, en utilisant un niveau à bulle pour être sûr qu'il est droit. Percez et fraisez un avant-trou et insérez la vis avec un léger angle. Fixez l'autre support vertical de la même façon sur l'autre côté.

Double siège

Si vous avez assez d'espace pour placer la balancelle au milieu du jardin, vous pourrez faire un fauteuil dans chaque sens. Tout ce dont vous avez besoin est de doubler la forme des modèles, et d'utiliser plus de lattes. Fixez la corde aux boulons sur les deux côtés du banc. Le modèle du banc peut aussi être raccourci.

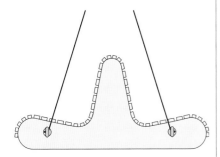

Pour un balancement régulier

Pour encore plus de stabilité vous pouvez enfoncez les dessous des pieds du portique dans le sol selon la méthode décrite pour le banc circulaire page 62.

15 Pour que le banc ne se balance pas d'un côté à l'autre, boulonnez des tasseaux (I) de chaque côté du timon et des supports verticaux. Coupez les extrémités des tasseaux à 45 degrés. Serrez une paire de tasseaux de chaque côté, puis percez à travers et vissez avec des vis à bois à tête hexagonale. Répétez l'opération de l'autre côté.

16 Boulonnez les tasseaux en diagonale au timon et aux supports verticaux en utilisant des vis à bois de 100 mm (4 po).

18 Marquez la position des crochets de balancement à 460 mm (18 po) de chaque extrémité du timon. Percez des trous dans le timon et les pièces de revêtement pour loger les boulons à œil de 200 mm (8 po). Boulonnez-les et vissez les crochets de balancement à travers les yeux des boulons. Attachez la corde aux crochets avec un nœud de sécurité, et au banc à l'autre extrémité (fig. 18.1). Enfin, passez un produit de finition.

17 Vissez les tirants verticaux (J) aux extrémités de chaque côté du portique, en utilisant une vis pour le sommet et la base. La vis du sommet se loge entre les vis déjà utilisées pour fixer le support vertical au timon, c'est pourquoi vous marquerez la position de celles-ci sur les tirants avant de percer et de fraiser le trou. La vis pour la base est vissée dans la traverse.

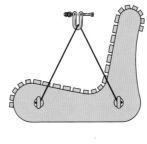

Fig 18.1

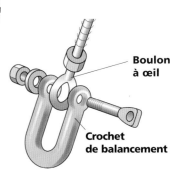

Boulon à œil

Crochet de balancement

La girouette

MATÉRIEL REQUIS

Coque du bateau (A)
1 pièce de 300 x 140 x 38 mm

Mât (B)
1 goujon ø 10 x 300 mm

Barre d'armature (C)
1 pièce de métal de 300 mm

Voiles et gréement (D)
Morceaux de toile à voile
et quelques ficelles

Piquet (E)
1 piquet traité en auto-clave de la
longueur de votre choix en 89 x 89 mm

Balises NSEW (F)
Une grande pièce de contre-plaqué marine
de 12 mm d'épaisseur

Portants de lettres (G)
2 goujons ø 10 x 600 mm

Quincaillerie et finitions
5 vis à œillet de 30 mm (1³⁄₁₆ po)
pour fixer le gréement au bateau

6 œillets en laiton
pour fixer le gréement aux voiles

2 vis galvanisées ø 8 x 38 mm
pour fixer le système de cheville au piquet

1 cheville étanche

Adhésif d'extérieur

Protection pour bois, teinture, peinture,
vernis

Outils
Trousse à outils de base avec outil à œillet,
embout papillon pour fixer la cheville et
perceuse à colonne

Connaître la direction et la force du vent n'est peut-être pas aussi important dans votre jardin que sur un bateau, mais le thème nautique est idéal pour une girouette. Les voiles du bateau prennent le vent, tournant l'embarcation pour signaler le sens du vent. Bien sûr vous pourrez choisir le modèle qui vous plaît le plus, à condition qu'il ait des voiles pour indiquer le sens du vent.

La composante clé de cette girouette est la cheville étanche qui permet une rotation facile. Achetez-en une dans le meilleur magasin d'outillage du coin ou cherchez un fournisseur sur internet. Une fois que vous aurez trouvé la cheville, achetez la tige d'armature qui va avec.

▶ *Quand le vent remplit ses voiles et qu'il change de direction, ce petit bateau distille le mystère de l'océan dans votre jardin même si vous vivez dans les terres.*

Cette girouette est assez rapide à construire mais exige un perçage très précis à la perpendiculaire du mât et des trous de l'armature, pour lesquels vous aurez besoin d'une perceuse à colonne.

1 En prenant les mesures sur la fig 1.1, tracez la forme de la coque (A) sur la planche de 140 x 38 mm. Dessinez la courbe de la coque à main levée ou utilisez un compas. Coupez à la scie sauteuse et poncez avec une cale tous les bords rugueux.

2 Percez un trou de 25 mm pour le mât (B) avec une mèche plate de 10 mm, au centre de la coque. Serrez la coque sur une plus grande pièce pendant que vous percez. Retournez la coque et percez un autre trou de 25 mm au centre de la quille cette fois, pour la tige d'armature (C), en utilisant une mèche plate d'un diamètre qui permettra à la tige de s'ajuster parfaitement dans le trou.

Fig. 1.1

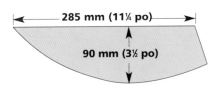

285 mm (11¼ po)

90 mm (3½ po)

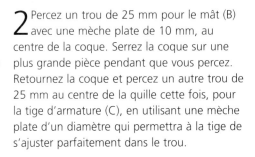

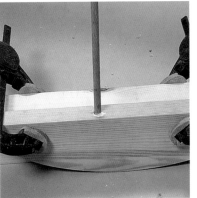

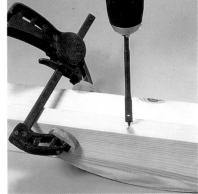

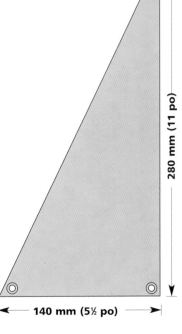

3 Collez le mât dans la coque et nettoyez l'excès de colle. Si vous prévoyez de teinter ou de vernir la coque, faites-le avant d'insérer le mât.

4 Dessinez et découpez les voiles (D) en suivant les mesures données à la fig. 4.1. Retournez et collez les bords pour éviter que les ourlets ne s'effilochent. Faites des trous dans les coins pour attacher les œillets qui consolideront les voiles sur le mât. La plupart des magasins d'artisanat propose des kits pour insérer les œillets.

5 Fixez les vis à environ 12 mm de chaque côté du mât pour installer la voile principale et le phoque. Fixez une autre vis à œillet au sommet du mât. Vous en ferez un à l'avant et un à l'arrière. Nouez des ficelles aux voiles et attachez-les au bateau. Une fois les voiles en place insérez la tige d'armature en poussant dans la quille de la coque.

280 mm (11 po)

140 mm (5½ po)

Fig. 4.1

ADAPTER LE DESSIN

N'importe quel dessin peut être utilisé pour améliorer le concept basique de la girouette. À la place d'un bateau, vous pourriez couper la forme d'un athlète, d'un animal ou de n'importe quelle forme prenant le vent et vous pourriez l'attacher à un support avec une baguette ou un goujon. Aussi, au lieu d'attacher les lettres NSEW aux goujons vous pourriez laisser les lettres agir comme des voiles. Dans ce cas vous construiriez les pièces en croix avec un assemblage de croix à mi-bois comme ce qui est utilisé pour l'intérieur du colombier page 140. Après que l'adhésif de l'assemblage soit consolidé, percez un trou de 18 mm pour l'armature et ajoutez un dessin au sommet. Ici nous avons pris une planche de contre-plaqué marine de 18 mm.

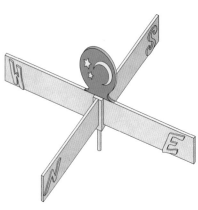

6 Le support étanche se place en haut du pilier (E). Utilisez une fraise à queue d'aronde pour percer un trou assez large pour le support. Puis percez un trou plus petit qui sera un peu plus profond que le trou du support pour loger la tige de l'armature. Placez le support sur le piquet et fixez-le, en faisant attention qu'il s'ajuste parfaitement au trou. Notez que vous ne pourrez peut-être pas acheter le même support que celui que nous avons utilisé, et dans ce cas vous aurez besoin d'adapter quelques mesures.

7 Concevez puis dessinez les lettres pour les repères NSEW (F) sur une pièce de contre-plaqué. Utilisez une scie égoïne ou une scie sauteuse ou encore une scie à chantourner manuelle pour les découper.

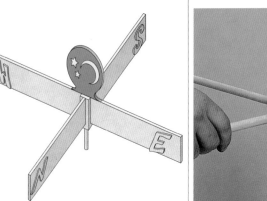

8 Pour attacher les baguettes de NSEW (G) marquez un trou au centre du piquet d'environ 100 mm (4 po) à partir du haut. En utilisant une mèche de 10 mm, percez à travers le piquet. Percez un autre trou au centre de la face adjacente à peu près 25 mm plus bas que le premier. Pressez de la colle dans les trous et insérez les tiges. Centrez-les dans les trous et essuyez l'excédent de colle.

9 Percez des trous dans les repères pour les tiges et collez-les. Insérez la tige d'armature dans le support. Fixez le piquet au sol, en utilisant une des méthodes expliquées pour la tonnelle (page 120), en vérifiant que la position des repères NSEW est correcte - utilisez une boussole si nécessaire. Appliquez un traitement pour le bois et la peinture.

Glossaire

ASSEMBLAGE À MI-BOIS

Un assemblage formé par l'emboitement de deux pièces de bois sur deux axes différents. Les pièces sont coupées à la moitié de leur épaisseur et s'encastrent mutuellement.

ASSEMBLAGE À TENON ET MORTAISE

Cela signifie assembler deux pièces de bois en coupant un carré ou un rectangle (la mortaise) sur une pièce qui acceptera la patte correspondante (le tenon) sur l'autre pièce.

ASSEMBLAGE PLAT-JOINT

Deux facettes plates sont réunies sans avoir recours à des pénétrations lorsque le plan de collage est suffisant.

AVANT-TROU

Un petit trou percé, utilisé comme guide et limitant la pression lors du vissage ou pour indiquer des perçages supplémentaires comme le fraisage et le chanfreinage.

BISEAU

Terme de menuiserie pour un angle, qu'il soit sur une pièce de bois de construction ou que ce soit le bord de l'angle d'un ciseau ou du fer d'un rabot.

BOUCHON

Pièce de bois ronde qui peut être utilisée pour masquer une tête de vis au lieu d'utiliser un enduit.

CHANFREINER

Poncer ou couper l'angle pour qu'il soit légèrement arrondi et souvent à 45 degrés, fait partie des travaux de finition.

ÉQUERRE À COMBINAISON

Tout en métal, c'est une équerre qui peut être utilisée pour marquer et vérifier les angles de 90 et 45 degrés. L'équerre coulisse de gauche à droite.

ÉQUERRE EN T

Appareil de test de menuisier pour assurer des angles à 90 degrés exactement.

FEUILLUS

Bois de construction issu d'arbres à feuilles, en général des bois durs (sauf le Balsa qui est un feuillu).

FORET À TROIS POINTES

Mèche de perceuse plate, en métal, servant à percer des trous plus grands que les trous standard d'un foret hélicoïdal.

FRAISAGE

Trou percé qui permet d'encastrer la tête de vis sous la surface du bois de telle sorte qu'un bouchon de bois peut la recouvrir. Une mèche à fraisoir combine la mèche à percer et la mèche à fraiser.

FRAISAGE À CHANFREIN

Trou cônique percé qui correspond à la pente de l'angle du dos de la tête de vis et permet d'enfoncer la vis au niveau de la surface du bois. Renseignez-vous sur l'outil qui perce ce trou.

GOUJON

Pointe en bois utilisée pour la construction des assemblages.

LANGUETTES

Fines lamelles de n'importe quel bois entre 12 mm (½ po) et 25 mm (1 po) d'épaisseur. Peut être flexible.

SERRE-JOINT

Instrument qui serre deux pièces de bois (par exemple) ensemble. C'est très utile quand on colle et assemble.

PIGNON

Extrémité verticale, triangulaire d'un toit.

POINÇON

Outil affûté et pointu servant à faire une marque. Souvent utilisé pour commencer les trous de vis.

SCIE SAUTEUSE

Scie électrique avec une lame petite et fine, idéale pour couper les courbes. C'est un excellent premier outil électrique à compléter avec une perceuse électrique.

SCIE À ONGLET

Sert à réaliser l'assemblage de deux pièces coupées dans un angle uniforme - en général 45 degrés.

SCIE À DOS OU À TENON

Scie utilisée pour les petits travaux sur l'établi. En général, pas plus longue que 250 mm (10 po).

SCIAGE EN LONG

Scier une planche dans la longueur dans le fil du bois.

RÉSINEUX

Bois de construction issu des conifères. Pour la plupart ce sont des bois clairs, tendres et résineux mais l'if est dur et sombre.

Index

Crédits

Quarto remercie les personnes suivantes pour les photographies du livre

(Clé: g gauche, d droite, c centre, h haut, b bas)

COMPAGNIE	COORDONNÉES	PAGES
R.K. Alliston	+44 (0)845 130 5577 www.rkalliston.com	130bg, 132hd, 147hg
Allweather & Tubbs	+44 (0)1372 466106 www.allweatherandtubbs.co.uk	28 cg (bac en fonte), 30, 33hg, 33cg, 34bg, 34bd, 35h, 36bg, 53bd, 56bg, 56bc, 56bd, 58bg, 59bd, 100, 104bg, 104bc, 104d, 106hd, 107b
Barlow Tyrie Ltd	+44 (0)1376 557600 www.teak.com	28cg, 29bd, 32hd, 54g, 54hd, 57hd, 57cd, 57bd, 59hd, 60g, 60hd, 61d, 146g, 147bg
Bill Brown Bags Ltd	+44 (0)1403 255288 www.bill-brown.com	53g, 58bd, 147hd
Bradshaw Direct Ltd	+44 (0)1904 691169 www.bradshawsdirect.co.uk	151hd
Childlife Play Systems	(photograph courtesy of Walpole Woodworkers) +1 800 467 9464 www.childlife.com	149bd
CORBIS / Kim Robbie		149c
Country Casual	+1 800 284 8325 www.countrycasual.com	32g, 60bd
Duncraft, Inc	+1 800 593 5656 www.duncraft.com	127hg, 128g, 128d, 129bg, 129hd, 129bd, 130hd, 131bg, 131bd, 133c, 133d
Erikson Birdhouse Co	+1 800 382 2473 www.bird-houses.com	
Forsham Cottage Arts	+44 (0)1233 820229 www.forshamcottagearks.com	126, 129c, 130bd, 132bd
GARDEN PICTURE LIBRARY / John Glover		105d
GARDEN PICTURE LIBRARY / Mel Watson		105l
The Garden Shop	+44 (0)870 7770099 www.thegardenshop.co.uk	150bg
Gwyn Carless Designs Ltd	www.gcdesigns.co.uk	151bl
Heritage Farms	+1 800 845 2473 www.heritagefarms.biz˙	131hd
The Heveningham Collection Ltd	+44 (0)1962 761777 www.heveningham.co.uk	34hg, 56h, 108bd
J+G Garden Stone	+86 21 5031 7155 www.jggarden.com	33bd
Lilliput Play Homes	(photograph courtesy of Walpole Woodworkers) +1 724 348 7071 www.lilliputplayhomes.com	149bg
Lloyd Christie	+44 (0)20 7351 2108 www.lloydchristie.com	57bc
Old Time Wheelbarrow Co	+1 604 855 1375 www.oldtimewheelbarrow.com	36bd
Patio Furniture	+44 (0)1726 833366 www.patio-furniture.co.uk	150hd
Pots and Pithoi	+44 (0)1342 714793 www.pots-and-pithoi.co.uk	33hd
Rayment Wirework	+44 (0)1843 821628 www.raymentwire.co.uk	57hg
Riverside Plastics, Inc	+1 800 493 4945 www.riverside-plastics.com	35b
Stonebank Ironcraft Ltd	+44 (0)1285 720737 www.stonebank-ironcraft.co.uk	104hg
Teak Tiger	+44 (0)800 0680333 www.teaktigertrading.co.uk	52, 57bg, 58c, 59cd, 60cd, 61g, 150hg, 150bd
TreeHouse Company	Design and Construction Specialists +44 (0)1560 600111 www.treehouse-company.com	148bd
Tree Tops Play Equipment	+44 (0)1227 761899 www.treetopsdirect.co.uk	149h
Trellis Structures	+1 888 285 4624 www.trellisstructures.com	29cg, 102g, 106hg, 108bg, 109hg, 109hd
Walpole Woodworkers	+1 800 343 6948 www.walpolewoodworkers.com	32bd, 33bg, 36h, 37hg, 37hd, 55bg, 102d, 103bg, 103bd, 106b, 107h, 108hd, 109b, 127b, 130hg, 131hg, 131cg, 132bg, 133g, 145d, 146d, 148bg, 148hg, 148hd, 151bd
Westminster Teak	+44 (0)1825 764222 www.westminsterteak.co.uk	28 cd (banc), 54bd, 55hd, 55bd, 58hg, 59bg, 144, 147bd, 151hg
Wood Classics	+1 800 385 0030 www.woodclassics.com	28hd (pergola), 55hg, 101d, 103d

Quarto remercie **Toddington Garden Centre** et **Robert Young Flowers & Gifts** à Cheltenham en Angleterre, pour avoir prêter les plantes pour les photos.

Quarto voudrait aussi remercier **The McKergows, Carol Cowlishaw, Camilla and Jacob Pot** et **Jean Evans** pour avoir autorisé des clichés de leurs jardins.

Toutes les autres photographies et illustrations sont copyright de Quarto Publishing plc. Même si tous les efforts ont été faits pour n'oublier aucun collaborateur, Quarto s'excuse pour toute erreur ou omission involontaires.